現代哲学の論点

人新世・シンギュラリティ・非人間の倫理

仲正昌樹 Nakamasa Masaki

NHK出版新書
667

まえがき

「哲学」は、歴史上の個別の出来事を対象とする歴史学、様々な種類の物質の特徴や相互の反応を研究する化学などの個別科学と違って、あらゆる現象の根底にある、事物の普遍的な本質や法則――「存在」や「実在」の意味、「意味」の〝意味〟、「認識」の成立条件、「精神」と「物質」の相関関係、「正義」や「美」の定義など――を探究する知の営みである。

したがって何か、アメリカ大統領選とか東京オリンピックの開催の是非、緊急事態宣言などのアクチュアルな問題が世間で取り沙汰されているとか、ヒトゲノムの解析やコロナウィルスの分子構造の解明、惑星探査などで画期的な成果が得られたといったことによって、「哲学」自体が大きく変わるということはあり得ない。「中国の世界戦略や新型コロナウィルス問題によって、社会と世界が大きく転換しようとしている時、哲学は新しい現実に対応して変わらざるを得ない。もうアリストテレスやカントを読んでいればいいという時代ではない」などと訳知り顔で語る〝哲学者〟は、そもそも「哲学」が何たるか分かっていないか、〝哲学〟というキャッチーな言葉で商売をしている芸人である。

ただ、社会を混乱させる大事件や科学的発見によって、今まで常識と思われ、哲学者たちにとってもあまりにも自明であると思え、それを疑うという発想が出てこなかった大前提が覆されることで、「哲学」にとっての新しい「問い」が浮上してくることがある。社会の変化や科学的発見が、「哲学」自体が変化するきっかけになり得るのは確かである。

しかし、必ずそうであるとは限らない。例えば、人生の悩みを抱える人が〝哲学書〟を買うようになって〝哲学ブーム〟が起こるとか、逆に、理系の学者や経済人、役人の間に〝哲学（文系）不要論〟が広まる、といった現象は、「哲学」にとってはどうでもいいことである。しかし、「哲学はあらゆる学問の基礎の基礎なので、哲学者は自然科学の最新の知見や社会・政治動向に通じていなければならない」などとまことしやかなことを言い、それがたまたまメディアに取り上げられて注目されると、〝哲学者〟である以上、どんな話題に関しても〝哲学的〟にコメントできなければいけない、と勝手に思い込んでしまう。

そういうことになりがちなので、〝最新の話題〟と「哲学」を結びつけることには慎重にならないといけない。あらゆる〝最新の話題〟について、哲学的な考察を加えることが可能であり、それが哲学者の使命である、と決めてかかってはならない。かといって、それまで哲学研究の前提になっていたことが変化しているのに、「それは本質的な問題ではない！」と頑《かたく》なに耳を傾けない態度を取ると、哲学は不毛な形而上学になってしまう。そうしたことを踏まえて本書では、著者の眼から見て、アクチュアルな問題と「哲学」が生産的に絡み合っているように見えるテーマ、言い方を替えると、私自身が知的刺激を受けていろいろ考えてみたくなるテーマを八点ほど取り上げて、それらがそれぞれどういう哲学的インパクトを持っているか、相互の連関を念頭に置きながら論じることにする。

　前著『現代哲学の最前線』では、各領域での専門的な議論の最新の状況を、そこに至るまでの文脈を踏まえて、なるべく正確に再現して解説することに力を入れたが、本書では専門的な議論の紹介は最小限にとどめ、それらに関連するアクチュアルな問題について私が受けた知的刺激に即して話を進めていくことにする――そうでないと、単なる自著の二番煎じになってしまうだろう。すでによく知られている哲学的言説や文学作品なども参照しながら、それが現在の問題状況においてどのような新たな意味を獲得したかについて、私なりの考察を加えることも随時試みる。

　八つのテーマというのは、以下の問いの形で表現することができる。①討議倫理（公共的理性）とは何か、なぜそれが現代の政治哲学で話題になるのか、②人はなぜルールに従うのか、③ＩＴ化によって近代の「公／私」区分はどう変化するのか、また公私の感覚は変化するのか、④科学技術の発展によって「ヒューマニズム」はどうなるのか、「ポストヒューマン」な思考が台頭するのか、⑤動物倫理を含む非人間の倫理はどう構想され得るのか、⑥人新世と新しい実在論はどういう関係にあるのか、⑦ポスト・ヒューマンな文脈において「科学」観はいかに変わるか、⑧自己決定とは何か、何が自己決定を可能にするのか、である。いずれも、**認識や行為の「主体」としての「人間」に関する近代哲学の常識が揺らぎ、新しい思考の軸を求める動き**と見ることができる。

　これらのテーマに関わる、哲学的な議論の難易度や複合性にはかなりばらつきがある。そのため、淡々と議論を整理することに専念している章と、私自身の関心が強く出てくる章がある。別に「新時代の新しい哲学」とか「脱人間主義の思想」のようなものを掲げるつもりはないが、全体として、私が現時点において何となく思い描いている「これからの哲学の方向性」のイメージがある程度、浮かび上がるようになっている。そういうつもりで、読み進めていただきたい。

現代哲学の論点——人新世・シンギュラリティ・非人間の倫理　目次

校閲　円水社
DTP　佐藤裕久

第一章　ネット化する世界で「議論」は可能か

——公共的理性のゆくえ

ネットと民主主義をめぐる期待と失望

一九九〇年代後半以降、インターネットが普及し始めてしばらくすると、ネットと民主主義の相性をめぐる議論が盛んになった。草の根の市民運動を広げ、民衆の声を直接政治に反映させようとしていたリベラル左派は、概してネットの普及を肯定的に受け止めた。マスメディアでは伝えられていない政治や経済の実情をネットによって一般の人たちに知らせることができる。また、これまで様々な事情から運動に関わることができなかった人が、集会の情報をいち早く知ってスケジュールを調整することができるし、その場に来られない人も賛同の意志を表明することもできるようになる。ネットで結集した市民の声を、政治家や官僚、企業などにいち早く伝え、リアルタイムに影響を与えることができる。そうした理由からネットへの期待が高まった。

アメリカの批評家ハワード・ラインゴールド（一九四七〜）は『バーチャル・コミュニティ』（一九九三）で、ネット上に形成されているバーチャル・コミュニティがメンバー間のコミュニケーションを促し、民主的に運営されている様々な事例を紹介したうえで、そこで培われたコミュニケーションのためのアーキテクチャ（システムの基本設計）と行動様式が社会全体に普及することで、電子民主主義（electronic democracy）という形で民主主義が再活性化され、ひいてはグローバルなレベルでの民主主義が可能になるのではないかと示唆している。すでに環境問題に取り組むNGOは、メーリング・リストなどによって効率的にグローバルなネットワークを構築することに成功しており、これは他の分野にも応用可能だとしている。

批評家・社会活動家のリチャード・E・スクローヴは『民主主義とテクノロジー』（一九九五）で、単に民衆を代表する政党やエリートが政策を決定するのではなく、市民たちの間で実質的な政治的平等が実現し、各人が政治的討議や共通善の追求に積極的に従事する「強い民主主義 strong democracy」の理想を実現していくうえで、多数の人の討議への参加を可能にするコンピューターなどテクノロジーの活用、「バーチャル・コミュニティ」の形成がカギになると示唆している。彼は、政治におけるコミュニケーションだけでなく、職場、学校、交通、公衆衛生、公共施設など、社会的なインフラに関わるテクノロジーの開発に市民が参加できる民主的な枠組みを形成すべきだとして、「強い民主主義」と「民主的テクノロジー」が相互に影響し合いながら発展していくヴィジョンを示している。

政治学者で、直接民主主義を推奨するイアン・バッジ（一九三六〜）は、『直接民主政の挑戦』（一九九六）で、多くの人があまりコストをかけずに参加できる「電子討論 electronic debate」を活用することで、直接民主主義の可能性が拡がるという期待を表明している。

人数が多くて全員が参加できないという問題や、議論の前提となる知識が欠如しているといった問題は、小グループに分かれて討論し、代表者を集めて全体討論を組織するというやり方や、グループごとに異なったテーマに特化して取り組み、専門家を交えたセミナーを開催するといったやり方でカバーできる、としている。電子媒体を使ってデマゴーグの宣伝が浸透しやすくなるという懸念に対しては、電子討論への参加を通して人々の意識が洗練され、扇動的なメッセージに対して直接疑問をぶつけ、批判の俎上《そじょう》に載せるので、双方向的な電子メディアの発展によってかえってデマゴーグの力は削がれる、と主張する。

日本でも、二〇〇〇年に文芸批評家の柄谷行人（一九四一〜）を中心に、インターネットを介して、生協活動、消費者運動、環境運動、教員組合、地域通貨など、様々な市民運動をネットワーク化し、国家と資本に対抗することを目指したＮＡＭ（New Associationist Movement）という運動が立ち上げられた。

一方、インターネットの政治利用に懐疑的な声もある。アメリカの政治学者で、「社会関係資本」についての実証的研究で知られるロバート・パトナム（一九四一〜）は、アメリカの地域共同体における「社会関係資本」の衰退を論じた『孤独なボウリング』（二〇〇〇）で、地域的に離れて住む人たちを結びつけるインターネットが、従来のそれよりも平等主義的なコミュニティを作り出し、政治への参加を容易にし、民主主義を強化する可能性があることを認める一方で、四つの難題が浮上する可能性を指摘している。

その四つとは次の通りである。①教育、収入、人種、ジェンダーによるサイバースペースへのアクセスの不平等（デジタル・デバイド digital divide）、②表情、姿勢、動作など、非言語的な情報の欠如、③赤外線天文学者、ワイン通、スタートレック・ファンといった狭い関心のバーチャル・コミュニティに各人が没頭し、関心が違う人と没交渉になること（サイバー・バルカン化 cyberbalkanization）、④インターネットが能動的な社会的コミュニケーション手段ではなく、受動的な娯楽手段になってしまう恐れ。

アメリカの憲法学者キャス・サンスティン（一九五四〜）は、『インターネットは民主主義の敵か（原題 Republic.Com）』（二〇〇一）で、パトナムの懸念の③について、政治的な意見を共有するコミュニティについて掘り下げた分析を行い、「サイバー・カスケード cyber cascade」現象を指摘している。これは、特定のラディカルな政治的主張を共有するコミュニティに入り浸っている人たちが、味方の発言にばかり接しているため、自分の意見が正しく、世の中は虚偽に満ちているという思い込みを強めていく現象だ。同じ意見を共有するコミュニティのメンバーであることをアイデンティティと感じるようになると、仲間に合わせようとする傾向がさらに助長される。

従来は、ネットが普及して市民たちが多様な情報や意見に接するようになると、マスコミによる画一的な偏向報道の弊害を打破できる、と言われていた。しかし実際には、多くのネット民は自分の好きな情報や意見に飛びつき、それと異なった見方を知らないし、拒絶するので、市民の間に分断が拡がった。メディアを介して得られる「共有体験 shared experiences」が減少しているので、イデオロギーの違う者同士が、同じ事実に基づいて議論するのが困難になっている、という。

サンスティンの懸念が極端な形で的中したのが、二〇一六年のアメリカ大統領選挙である。ＣＮＮなど大手メディアの報道をフェイク・ニュース呼ばわりし、オバマ大統領を頂点とするリベラル・エリートの欺瞞《ぎまん》を糾弾するツイートで白人貧困層を中心に支持を集めたドナルド・トランプ（一九四六〜）が、多くの常識的な批評家の予想に反して、共和党の大統領候補になり、リベラルなエリートの象徴とも言うべきヒラリー・クリントン（一九四七〜）を破って大統領選に勝利した。トランプは当選後もツイッターやフェイスブックでリベラルや大手メディアに対する攻撃的な言葉を発し続け、支持層を引きつけ続けることに成功した。

二〇二一年一月には、大統領選挙の結果に不満を持つトランプ支持者による議事堂襲撃事件が起こった。彼らはＳＮＳを利用して連絡を取り合うことで怒りを増幅させ、選挙結果を確認する議会の手続きを阻止するために集まってきた。二〇一〇～一二年にかけてのアラブの春など権威主義的な政府に抵抗する民主化運動でＳＮＳが一定の役割を果たしたことで、再び高まりつつあったインターネットに対するリベラル左派の期待がやはり幻想であったのではないか、という疑念が再び強まった。

しかも、皮肉なことに、この襲撃を煽ったとしてトランプはツイッターとフェイスブックのアカウントを停止された。このことによって、**現代の民主主義が営利企業の提供するネット媒体によって支えられ、彼らの意向によって政治の行方が左右され得る**、という問題も露わになった。

AIが人々を矯正する？

インターネットは、遠く離れた人同士のコミュニケーションを可能にするが、それはあくまで一つの可能性である。十分な議論抜きに、瞬間的な賛成／反対の声の集計によって〝世論〟を作り出してしまう面もある。

『インターネットは民主主義の敵か』でサンスティンは、主にブログを中心とする政治サークルを念頭に考察していた。メディア研究者のシヴァ・ヴァイディアナサン（一九六六～）は、『アンチソーシャルメディア』（二〇一八）で、フェイスブックの登場で、事態がさらに深刻化していることを指摘している。ブログの場合、個々のユーザーがそれをフォローするかどうか判断するし、ブログの主催者が批判対象のサイトにリンクを貼ることが多いので、敵対する陣営の意見に触れる機会もある。しかし、フェイスブックのように、常時個々のユーザーに関する情報を収集し、潜在的欲望を読み取り、それに合う広告を提供するマイクロ・ターゲティングの機能を開発し、ビジネスを拡大してきたSNSが、主要な政治的媒体になると事情は異なってくる。ユーザー自身の意図的選択と関係なく、アルゴリズムに従って、見るべき情報をニュースフィードに自動的に呈示してくるので、政治的視野狭窄《きょうさく》はさらに顕著になる恐れがある。

SNSは「私」に代わって、〝私にふさわしい政治的情報〟をチョイスし、〝私らしい政治的意見〟を決めてくれる媒体になりつつある。それは民主主義にとって好ましいことなのか。

東浩紀（一九七一～）が『一般意志2・0』（二〇一一）で提案したように、ネット上のビッグデータを解析して、その都度の「世論」の方向性を客観化して、自動的に政治的意志決定を行う総合的なプログラム――一般意志2・0――を立ち上げることで、問題を一気に解決してしまおうという考え方もある。〝人民の意志〟が瞬時に〝判明〟すれば、（所属党派や圧力団体に忖度する）職業政治家を介することによって、〝人民の意志〟が歪められる、という代議制民主主義の弊害も除去できる。

しかし、それだと瞬間ごとに〝人民の意志〟が大きく両極に振れて、何も実行できないことになりかねないので、適当な時期に行った集計の帰結は、しばらくの間変更しないよう安定化の規則を組み込んでおく必要があるが、その間の取り方はどのようにプログラムしたらいいのか？　また、一般意志2・0の〝決定〟を受け入れがたいとして反抗する人が大量に登場して、騒乱状態になったらどうするのか。一般意志2・0に残っている人で、どう鎮圧するか決定することになるだろうが、その〝決定〟に対してさらに反抗する人が出てきたら……。一般意志2・0に参加する人はどんどん減っていくのか、それとも事案ごとに出入りするのか、出入りを認めるのであれば、その条件はどうやって決定するのか？

そのように延々と連鎖するシステム内外の不安定要因を根本的に取り除くには、異論を一切許容せず、思想・言論を均一化する、ジョージ・オーウェル（一九〇三～五〇）が『一九八四』で描いたような全体主義社会を構築するしかないように思えてくる。ワイマール時代のドイツの法学者カール・シュミット（一八八八～一九八五）が『現代議会主義の精神史的状況』（一九二三）で言うように、「民主主義」が、治者と被治者の「同一性 Identität」、つまり権力の頂点に立って統治する人とその統治に従う人が政治の目指すところについて同じ考えを抱いており、立場が入れ替わっても支障はない状態にあるとすれば、「民主主義」

と「全体主義」は定義上両立する。この意味での「民主主義」の下では、個人の間の意見や価値観の違いを尊重する必要はない。むしろ有害でしかない。

シュミット的な「民主主義」論を、ネットに現れる人々の欲望をビッグデータから読み取る一般意志２・０の発想とより〝スムーズ〟に融合するには、映画『マトリックス』（一九九九）などのＳＦに見られるように、人間をネットワークに接続して、欲望自体が同調するようにコントロールする、ということが考えられる。ＡＩが民衆の意志を汲み取るというより、創り出すようにするわけである。そうすると、ＡＩの端末と化した各個体が、ＡＩあるいはＡＩに具現される権力に抑圧されると感じることはなくなるし、瞬間的に〝世論〟がころころ変わって安定しない、という問題も解消する。

無論、現在それほどの技術はないし、人間という生物をそこまでコントロールすることができるのかという原理的な疑問がある。可能になったとしても、これまたＳＦでよくあるように、端末になり切ることに抵抗する人や、強制的な接続から取りこぼされる人は相当数出るだろうし、いったん端末になった個体の中にもコントロールから逸脱するものがそれなりに出てくるかもしれない。

ただ、人間の欲望をコントロールして、社会の「標準」から逸脱しないように矯正することで、社会全体の福利の最大化と民主主義、自由主義の三者を合致させようとする考え方は、近代初期からある。「最大多数の最大幸福」という標語で知られる功利主義の元祖ベンサム（一七四八～一八三二）は、建築上の構造を利用して、独房に収容されている囚人をいつ自分の行動が（中央の塔の中にいる）看守から見られているか分からない状態にし、他者の目を常に意識する従順な主体に改造する、パノプティコン（全望監視装置）と呼ばれるタイプの刑務所の構想を打ち出した。パノプティコンは刑務所だけでなく、学校、工場、病院など、多くの人の行動を監視し、矯正、調和させる施設に応用可能である。こうした施設を社会の要所要所に配置すれば、「最大多数の最大幸福」に反する行為への欲望が抑制されるわけである――パノプティコンについては第二、三章でまた触れる。

高度なテクノロジーによって物理的環境を操作することで逸脱行動を抑止する「アーキテクチャ」はすでに私たちの生活の様々な局面で使用されている。特定の場所での携帯電話の使用を防止する妨害電波や、若者がコンビニの前に集まるのを防止するモスキート・サウンドなどだ。こうしたアーキテクチャはさらに高度化され、人間の心理状態そのものに影響を与えられるようになり、フェイスブックなどですでに行われている、ニュースフィードの自動的なターゲティングと融合するようになれば、少数派に対する矯正がスムーズに、本人たちが気づかないうちに行われるようになるかもしれない。

一九世紀半ばにフランスの政治思想家トクヴィル（一八〇五～五九）や、ベンサムの後継者とされる英国の哲学者・経済学者ジョン・スチュアート・ミル（一八〇六〜七三）は、民主主義が浸透・定着した社会では、多数派を占めた人たちが自分たちの正しさを確信するあまり、自分たちの意見を少数派に押しつけながら、それが「彼ら」のためになると思い込んでしまう、「**多数派の専制** tyranny of majority」の危険を指摘した。インターネットはそれを防いで、人々が多様な意見を戦わせる環境を作り出す媒体だと期待されたが、その期待とは真逆の現象が目立っているわけである。

民主主義論の熟議的転回

こうしたポジティヴにせよネガティヴにせよ、ネットの役割を重視する民主主義論とは別に、マスメディアやネットのような媒体よりも、**人間同士の「討議（熟議）」の実践と、それを支える制度を重視する議論の系譜**がある。そうした議論では当然、その都度の各人の感情や選好、短期的利益をどのように集計するかではなく、どのようにして論理的にかみ合った討論を積み重ねていくかに重点が置かれる。先述したサンスティンは、アメリカの憲法の歴史を振り返って、民衆のその場限りの思いつきではなく、「熟議」を経て到達した見解が「代表」を通じて議会にもたらされ、代表たちのさらなる「熟議」を経て〝意志〟決定がなされるよう、建国の父たちが制度設計し、その考えが受け継がれてきたことを示唆している。

ヨーロッパや北米では、一九七〇年代以降、無作為に選んだ一般市民に、地域の抱える環境や防災などの問題について一定期間議論してもらい、その成果を自治体の政策に反映させる、市民陪審、コンセンサス会議、プランニング・セルなど各種のミニ・パブリクス（mini-publics）の制度化が試みられており、政治学の研究者たちから「熟議」のモデルとして注目されている。スタンフォード大学の政治学者ジェイムズ・フィシュキン（一九四八〜）らが考案した、集中的な共同討議を行う前と後での人々の意見の変化を調査する「討論型調査 deliberative opinion poll」は、八〇年代後半以降各国で実施され、国家や地方行政府の政策に実際に取り入れられることもある。

オーストラリアの政治学者ドライゼク（一九五三〜）によると、九〇年代に入る頃から、民主主義を論じる政治理論家たちの間で、（利害調整や多数派形成ではなく）「熟議」に対する関心が高まり始め、九〇年代の終わり頃になると、民主主義論の最も重要なテーマになった。彼はこれを「**熟議的転回** deliberative turn」と呼んでいる。

では、ネットなどを介して人々のその都度の感情や思い、（機械的に算出可能な）利害関係を政治に直接反映する仕組みに比べて、「熟議」が優れていると言えるのはなぜだろうか。一つは、異なった意見や視点を持つ人々が話し合いの場に臨むことで、人々が問題になっているテーマをより包括的に捉えられるようになることである。これは古くは、アリストテレス（前三八四～三二二）の『政治学』や『弁論術』にも見られる論点で、ルソー（一七一二～七八）の『社会契約論』（一七六二）やミルの『自由論』（一八五九）など、近代の自由民主主義を基礎づけた政治哲学の著作でも重要な位置を与えられている。ミルの影響を受けたアメリカの最高裁判事オリヴァー・ウェンデル・ホームズ（一八四一～一九三五）は、「エイブラムズ対合衆国裁判」（一九一九）での反対意見として、民主主義に「思想の自由市場」が不可欠である論拠としてこの点を挙げているし、プラグマティズムの哲学者ジョン・デューイ（一八五九～一九五二）も、世論の支配に警鐘を鳴らす『公衆とその諸問題』（一九二七）で、この点を強調している。

もう一つは、「熟議」を通して、人間に本来備わっている（と想定される）、他者と討論することを通して自らの思考を合理的に根拠づけたり、適宜修正したりする能力を鍛える、ということである。この方面での議論を長年にわたってリードしてきたのは、資本主義社会の矛盾を学際的に分析するフランクフルト学派第二世代の旗手である、ドイツの社会哲学者ハーバマス（一九二九～）だ。ドライゼクは、「熟議的転回」に哲学的基礎を与えた人物として、ハーバマスと、アメリカの代表的なリベラルの政治哲学者で、自由主義社会における再分配的正義を正当化し、正義論ブームの火付け役になったロールズ（一九二一～二〇〇四）の二人を挙げている。

「熟議」はなぜ必要なのか——ハーバマスとロールズ

ハーバマスは教授資格論文『公共性の構造転換』（一九六二）で、近代市民社会における公共圏の成立の条件を論じている。奴隷の労働に依拠し、経済生活上の様々な問題から解放され、自由に討議できた古代ギリシアやローマの市民たちと違って、近代の市民は自ら経済活動に従事しているので、利害関係によって歪められない自由な討議を行うのは困難だとするハンナ・アーレント（一九〇六～七五）の議論に対し、ハーバマスは、近代初期においてカフェ、読書サークル、サロンなどの文化について語り合う場（文芸的公共圏）が、市民たちが直接の利害関係を離れて意見を交換する習慣を育んだことを指摘する。そうしたものが次第にネットワーク化していった。参加者たちは、（議会での審議など政治の情報も伝える）新聞や雑誌といった活字媒体を通じて、職業選択の自由や言論の自由など、市民としての共通の利益を見出すに至り、（それまで公共圏を占拠していた）専制君主や官僚に対峙する「対抗公共圏」を形成するに至ったと主張する。ただし、商業メディアに支えられていた市民的公共圏が、メディアが営利本位で運営されるようになった二〇世紀以降、次第にその批判的ポテンシャルを失っていったことを問題視している。これは当然、現代のインターネット産業をめぐる問題にも通じる論点である。
『コミュニケーション的行為の理論』（一九八一）では、デュルケム（一八五八〜一九一七）、デューイ、ジョージ・H・ミード（一八六三〜一九三一）などの人間の（言語や記号を介した）相互行為をめぐる社会理論や、ジョン・L・オースティン（一九一一〜六〇）やジョン・サール（一九三二〜）などの分析哲学系の言語行為論の成果を踏まえて、人間の言語行為には他者を自分の目的のために利用する（戦略的行為）だけでなく、科学的真理、社会的正義、美などに関して対話し、合意に到達しようとするコミュニケーション的行為が含まれていることも明らかにしようと試みた。

この著作の発表から九〇年代初頭にかけてのハーバマスは、コミュニケーション的行為に際して、人々が（暴力や利害関係、一時的感情に歪められない）真の合意に達するために相互に遵守するルールと、それを基盤に発展する社会規範を研究する「**討議倫理学** Diskursethik」に取り組むことになる。「合意」を目指すコミュニケーション的行為を中心に社会規範が発展するのだとすれば、異なった世界観や利害関係を持つより多くの人が対話に参加するようになるのに伴って、コミュニケーションの様式が洗練されて公平中立なものになり、地域共同体の中で生まれた諸規範が次第にローカルな性格を脱し、普遍的な正義の原理が現われてくると期待できる。

『事実性と妥当性』（一九九二）では、コミュニケーション的行為や討議倫理の視点を、西欧諸国における法・政治の発展の歴史の分析に応用し、理想的な対話を目指して、「（熟議）民主主義」が制度化され、対話の参加者たち（全ての市民）の権利を保証すべく、「法の支配」や「立憲主義」が定着してきたことを明らかにした。議会など民主的討議のための諸制度は、単に利害関係をめぐって妥協しながら多数派形成を目指す場ではなく、「討議」によって、正義に適《かな》った社会の在り方を探究する場でもあり、普通の市民もメディアに媒介された「世論」を介して探究の過程に参加していると見ることができる。「熟議」は単なる学者や法律家の頭の中の綺麗ごとではなく、西欧の民主主義が——各人のコミュニケーション的行為を制御するコミュニケーション的理性に導かれて——現実に歩んできた歴史の一つの方向性なのである。

ロールズもまた、初期の論文「倫理的手続き上の概要」（一九五一）以来、人々が日常的な、言語を中心とする相互行為においてどのように正／不正を判定しているかについての分析を起点にして、万人が合意できる普遍的「正義」の原理を見出すことは可能か、という問いを探究し続けた。主著『正義論』（一九七一）では、（具体的な法・政治制度を規定する諸原理がまだない）「原初状態 original position」において、各人が自分の社会的地位や能力、環境、生き方が他人と比べて相対的に有利か不利か分からなくする、つまり〝現在の自分〟に有利な偏った選択をできなくする、「無知のヴェール veil of ignorance」という仮想の装置に覆われている状態で、人々が話し合った場合、どのような正義の原理が選択されることになるか、厚生経済学やゲーム理論などを用いながら検討した――詳しくは、拙著『いまこそロールズに学べ』（春秋社）などを参照。この想定は、暴力や利害関係による歪曲《わいきょく》なしに、人々が対等の立場でコミュニケーション的理性を発揮して対話できる仮想の状況としてハーバマスがしばしば言及する、「理想的発話状況 ideale Sprechsituation」に通じているように思える。

ネオ・マルクス主義の知識人集団であるフランクフルト学派の出身であるハーバマスと、ニューディールなどのケインズ主義的経済政策を支持したアメリカのリベラル左派の系譜に連なるロールズでは、思想史的背景も論証のための道具立てもかなり異なるが、様々な欲望を持つ諸個人が自らの利益を追求する権利――悪く言えば、公共性など意識することなく、エゴイスティックに生きてもいい自由――を保証する「自由主義」と、公共の福祉（全体の利益）を増進するため、多数派の意向に従って個人の権利を制約する「民主主義」を両立させるための理論的枠組みを求めたこと、討議を経ての合意（熟議）を重視したこと、という二つの重要なポイントを共有している。

「公共的理性」とは何か

そうした類似点にもかかわらず、ハーバマスは当初、ロールズの正義論を、人間理性についての古い見方に基づいているとして、高い評価を与えていなかった。ハーバマスから見れば、ロールズの議論は、各人の幸福追求権を最大限尊重しながら、社会的弱者への再配分も正当化する「正義の二原理」を結論として導き出すことに主眼があり、いわば結論ありきである。「原初状態」にある人々が正義の原理をめぐってどのように討議し合意に達するか、その過程についてあまり具体的に論じていない。「無知のヴェール」によって、各人の間の差異が分からなくなっているとすれば、利害調整をするために交渉する必要がないので、実際の討議の場面を細かく想像する必要はないのかもしれないが、それではロールズが、討議を経ての合意を本当の意味では重視していないことになる――サンデル（一九五三〜）は、『リベラリズムと正義の限界』（一九八二）でこの点を厳しく追及している。ハーバマスにとっては、理想的な状況で討論した場合、どういう結果が予想されるかではなく、コミュニケーションの過程こそが重要なのである。

しかし、ロールズの第二の主要著作『政治的リベラリズム』（一九九三、二〇〇五）が刊行されて、ハーバマスのロールズに対する評価はかなり好意的になり、両者の違いは理論上の細かな問題に限定されるようになる。『政治的リベラリズム』における中心的な問いは、公正な社会はどのような正義の原理を採択すべきかではなく、様々な、互いに相容れない価値観――宗教以外の思想信条や世界観、ライフスタイルも含めて、人の生き方を全般的に規定する教義一般を指す言葉として、ロールズは**包括的教説**（comprehensive doctrine）という言い方をする――を持つ集団が共存している社会で、正義の原理を共有することは実際に可能なのか、である。

　ロールズがこの問いに取り組んだ背景には、一九八〇年代以降の、政教分離の原則に揺さぶりをかけるキリスト教原理主義の台頭や、文化的・人種的・ジェンダー的多数派とは違った生き方を求める、フェミニズムや各種のマイノリティ運動のラディカル化――多数派による抑圧を容認する、西欧の（白人男性の視点から理解される）自由民主主義の否定――といった事態による政治的緊張、自由主義の中立性志向を批判するコミュニタリアニズム（共同体主義）からの理論的挑戦などがある。

　この問いに対して、ロールズは理想的な状況ではなく、憲法を中心とするアメリカの民主主義史をモデルとして取り上げることで応えようとする。アメリカのような民主主義体制の下で、共同体的生活を長年にわたって営んできた包括的教説を有する諸集団は、対立する教説を有する集団との間で、暫定的な平和共存協定を結ぶだけでなく、それぞれ自分たちの教義を、諸個人の自由や権利、統治機構に関する憲法上の諸理念と適合させ、それを介して他の集団に属する人たちとの安定した対話の回路を築くようになる。そうした、複数の包括的な教説を横断する形で歴史的に形成された基本的合意を、ロールズは「**重なり合う合意** overlapping consensus」と呼ぶ。

例えば、プライバシー権が憲法上の理念として確立されるのに伴って、Ａという宗教が、それはもともと自らの教説に含まれるＰという考え方から導き出すことができる、という解釈を考案し、それを内部に浸透させたとする。同じように、（Ａと様々な教説上の論点で対立している）Ｂという宗教は、自らの教説に含まれるＱという考え方から導き出されるものと見なすようになる。そうなると、Ａの信者とＢの信者は、ＰとＱという互いに相容れない考え方に依拠しながら「プライバシー権は、宗教への信仰を阻害するものではなく、かえって信仰を強めてくれる」というような共通理解を前提として、プライバシー権について議論できるはずである。そうした共通理解が「重なり合う合意」だ。

近代法の前提に即して考えれば、宗教など、包括的教説の領域は家や友人関係などと並んで、私的領域に属する。Ａの信者もＢの信者も、教団内では私的言語である宗教用語で語り合うが、政治や法の在り方をめぐる、全ての市民を潜在的参加者とする公的領域での議論では、「重なり合う合意」に対応する言語を使おうとするだろう。長年にわたって安定している民主主義社会では、そうした公的対話のための言語が発達し、広く共有されているはずである。

ロールズは、その言葉遣い、あるいはそこで相手を説得するために呈示される論拠を、**「公共的理性**（理由）public reason」と呼ぶ。それは、公的領域での討議に参加している人間であれば、全面的に受け入れないまでも無視することができず、拒絶するにしても、別の「公共的理由」をもって反論せざるを得ないような「理由」、討議において尊重されねばならない理由である。これは裁判において原告、被告の双方が、法曹関係者であれば無視し得ないような理由を示しながら審理を進めていることをモデルに考えると分かりやすい。「公共的理由」を見出し、討議において用いる能力が「公共的理性」である。「公共的理性」論は、民主主義を司法に近づけていく——ただし、判決を出す権限を独占する裁判官は不在のままにする——試みと言える。

ハーバマスは論文「理性の公共的使用による宥和《ゆうわ》」（一九九五）でロールズの新たな試みを大いに歓迎して、（哲学的には重要だが、民主主義論として見れば）ごく細かい点にだけ批判的にコメントしている。それは主として、普遍的正義の原理の確立を目指す『正義論』と多元性を許容する『政治的リベラリズム』との整合性や、宗教を含む私的領域における言語と公共圏の言語である公共的理性がどういう関係にあるのか明確にしていない点などである。

論文集『自然主義と宗教の間』（二〇〇五）に収めた書き下ろし論稿「公共圏における宗教」でハーバマスは、特定の宗教的世界観にコミットした市民と、世俗的な価値観を持つ市民の間の対話の可能性を考えるうえで、ロールズの「公共的理性」の理論が良い手引きになるとかなり積極的に推奨している。ただし、「公共的理性≠世俗化した理性」と考えると、宗教的な信念に従って生きる市民が、自分たちの主張を政治に反映させようとする時、世俗的市民たちよりも多くの努力を必要とすることになる、と思われる。

　例えば、独自の宗教儀礼のために一日の特定の時間帯に休みを取れるようにすること、そのための場所を提供することを職場や学校に義務づけるよう要求するような場合、どうしてその宗教にはそういう特別扱いが必要なのか、その宗教独自の論理で説明することはできても、それを世俗的な価値観しか持たない人に納得できる形で説明するのは難しいだろう。「公共的理性」が信仰の中身を一切含んではならないとすれば、その宗教のメンバーは、自分たちの主張を「公共的理性」に翻訳するのにかなり苦労すると思われる。

　ハーバマスは、宗教的な市民の側にだけ努力を要求すべきではなく、世俗的な市民の側も努力する必要があることを強調する。これは、西欧諸国が、宗教を含め様々なアイデンティティの人に――自由権的基本権をはじめとする市民社会の中心的規範から大きく逸脱しない限り――独自の生き方をすることを認める多文化主義の政策を取っている以上当然のことだが、宗教的な価値をめぐる対話に「公共的理性」を使うことはできるのか、「公共的理性」は拡張可能なのか、という問いを提起する。ハーバマスは哲学的に最も肝心な点については、答えを出していない。

ロールズの「公共的理性」がアメリカの民主主義をモデルに考えられているのに対して、ハーバマスの「コミュニケーション的理性」は、人間の理性の普遍的な発展史を踏まえているので、より柔軟であると示唆することで、後者はこの問題に答えられるかのように装うこともできるだろうが、私はそうした擁護には意味がないどころか、かえってハーバマスに不利だと考えている。ハーバマスはコミュニケーション的理性が、次第に（宗教を含む）形而上学的世界観から離脱することで、普遍性を確保してきたという前提で議論を進めているので、形而上学から自由になったはずの市民社会において、依然として宗教に強くコミットしている人とどう向き合うのかという問題は、アメリカの文脈に即して考えようとしたロールズよりも、ハーバマスにとってより深刻である。大著『哲学史でもあるもの』（二〇一九）でも、宗教と近代知の対話の可能性を歴史的に探っているが、答えは出ていない。

民主主義は敵対性を内蔵している？

「熟議民主主義」は、政治、少なくとも民主主義の政治は、全当事者にとって理性的に受け入れ可能な「合意」を目指すものだという前提に立っている。だからこそ、どうしても単なる妥協ではなく「合意」にこだわらざるを得ないことになる。そうした「合意」中心の民主主義観に対して、「合意」ではなく、解消し得ない敵対性こそ「政治」の本質であり、健全な民主主義はそのことを認めざるを得ないとするのが、ベルギーのポストモダン左派的な政治理論家シャンタル・ムフ（一九四三～）である。

ムフは、政治的なものの本質は敵と味方の区別である、という『政治的なものの概念』（一九三二）で示されたシュミットの命題を援用しながら、互いに相容れない価値観や生き方の人々の闘いのアリーナ、として政治を理解する。カトリック保守主義者であるシュミットが「友／敵」の境界線は（国民）国家の境界線にあると見るのに対し、ポストモダン左派であるムフは、**国家の内にも様々な「友／敵」関係がある**と想定する。「民主主義」は「人民」による支配を意味するが、「人民」というのは決して一枚岩ではない。階級、民族、宗教、ジェンダーなどにおいて異なったアイデンティティの人の集合体であり、それらは一つにまとまることはない。様々なグループが比較的目的や価値観が近い他のグループと妥協・連携して、その都度の多数派を形成し、ヘゲモニーを握り、自分たちこそは「人民」

だと主張しているという——ムフは、革命の成否は、大衆文化や生活習慣に浸透して、体制を安定させているブルジョワの文化的ヘゲモニーに対抗する新たなヘゲモニーを、革命的な知識人や労働階級が確立できるかにかかっているという、イタリアのマルクス主義思想家グラムシ（一八九一～一九三七）の影響を受けている。

「人民」から排除された集団は、人民のヘゲモニーに対抗する新たなヘゲモニーを構築して、自分たちを核にした「人民」を作り上げようとする。そうした闘争は絶えず繰り返される。民主主義はそうした敵対性（antagonism）を表舞台に出して可視化し、闘いのルールを設定して、暴力がエスカレートすることを防いでいるが、敵対性を消滅させるものではないし、それを目指すべきものではない。

ムフは、『民主主義の逆説』（二〇〇〇）で、シュミットの視点から、理性による普遍的「合意」とそれに基づく社会秩序の構築を目指すロールズやハーバマスの理論を批判し、諸集団間の緊張関係ゆえにいつ崩れるか分からない不安定なヘゲモニーしか達成され得ないことを主張する。そのうえで、無理に「合意」が成立しているかのように装うことなく、「抗争」を一定のルールの下での「闘技 agony」に変換する「**闘技的民主主義** agonal democracy」こそが現実的だと主張する。

ムフの協同研究者であるアルゼンチン出身の政治理論家ラクラウ（一九三五～二〇一四）

は、『ポピュリズムの理性』(二〇〇五)で、ムフ自身は『左派ポピュリズム』(二〇一八)で、「人民」を構築するためのヘゲモニー形成において、人々の欲望を形成し、象徴的な言葉や記号のもとに結集させる「情動 affect」に訴えかけることの必然性を指摘し、この見地から、一般的に「ポピュリズム」と呼ばれる政治手法を条件つきで正当化している。「情動」という要因を積極的に認めることは、ハーバマスやロールズとはまさに対極的である。

「ポピュリズム」を容認するのであれば、当然、ネット上での闘争にも好意的なのではないかと思われるが、ムフはフェイスブックなどが人々を実際に政治運動へと突き動かしているのか疑問に感じているようである。私には、「熟議」か「闘技」かという問題は、インターネットを介して産出される「人民の声」の評価をめぐる問題と深いところで繋がっているように思われる。

第二章　人はなぜルールに従うのか

——「ルール」の起源

そもそも「ルールに従う」とはどういうことか

ネットでの炎上騒動やバイトテロのような騒動、さらにはトランプ支持者の議事堂襲撃事件のような、恥知らずで後先を考えずに行動する人たちのことを耳にすると、人間というのは集団になったら気が大きくなり、強く止める者がいなければ、ルールなんか完全に無視する獣のような存在なのか、いや獣は不必要に同類に危害を加えないので、獣以下なのか、などと考えたくなる。

教育に携わる仕事をしている人は特にそれを強く感じるだろう。大学の授業には、大学や学部などで決められたルールに従わないので、繰り返し注意しても（叱っても）、ぽかんとして、なかなか反応しない学生が一定数いる。従わなかったらペナルティを科されて大変だと感じて、すぐに何らかの行動を取る、ということができないようなのだ。「ルールに従う」というのがどういうことか体感的に分かっていないのではないか、と感じる。大学の教員は、学校教育はゆとり教育でダメになっているのか、と考えたくなる。学校の先生は、いや、それはゆとり教育で育った親が……と言うだろう。

しかし、「ルールに従う」というのはそもそもどういうことだろうか。鳥が群れになって飛ぶ時のように、周囲の動きと同期化して行動したり、猿の群れがボス猿に威嚇されて従っているのと同じような、物理的・生理的現象にすぎないのか。それとも、理性的に思考し行動する存在である人間ならではの、もっと積極的な意味があるのだろうか。

哲学的には大きく分けて二つの見方が可能だろう。一つは、「ルールに従う」と言えるような、特殊な行為類型があるわけではなく、単に制裁を怖れて、あるいは報酬を求めてある行為を控えたり、実行したりしているだけだ、というものである。無論、その場限りで制裁や報酬を加える誰かの指示に従っているだけなら、「ルール」――英語の〈rule〉やそれに対応する西欧の諸言語の単語には「規則性」という意味もある――に従っているとは言わない。制裁や報酬の対象になる行為が、誰かの意志あるいは社会的な決まり事として固定しているので、従っている人たちの行為に規則性が生じるのが、「ルール」ということになるだろう。したがって、「ルールに従う」というのは、ペットや家畜が躾《しつ》けられるのと本質的に違わない、ということになるだろう。

思想史的にこうした見方に最も強く傾斜しているのが、功利主義、特にベンサムの教えに忠実な――ルールに従うことの帰結ではなく、各行為の直接の帰結を重視する――行為功利主義の系譜だろう。ベンサム流の功利主義においては、人間は快楽を求め、苦痛を避けようとする存在であり、個別の行為や政策の良し悪しは、それが人々の様々な快楽の総和としての幸福を増やすか、それとも、苦痛の総体としての不幸を増やすかによって決まる。

世の中には、犯罪・非行行為で他人に危害を加えることで、快楽を得ようとする体質の人間もいる。放っておくと社会全体の幸福が低下する。ベンサムはそういう人たちを矯正するための刑罰などの政治的サンクション――ベンサムは〈sanction〉の本来の意味に立ち返って、制裁だけでなく、その行為を推奨するための報酬も含む意味で使っている――が与えられていることを指摘する。この見方の下では、人がルールに従うのは、サンクションがうまく機能しているということにすぎない。パノプティコンは、最小限の費用で刑務所を運営するとともに、囚人が直接身体的な罰を受けなくても逸脱行動を取らなくなるよう、サンクションを合理化する試みである。

　現代の功利主義者が、人間が意識しないまま〝ルール〟に従うように誘導する「アーキテクチャ」を推奨するのは充分うなずけることである。ベンサム流の功利主義では、各自が「ルール」を認識して意識的に従っているかどうかはあまりこだわる必要のない問題である。結果的に秩序が保てればいいからである。ＳＦの設定でよくあるように、意識自体を完全にコントロールできる技術が開発されれば、〝ルールに従うよう強制されている〟という苦痛がないどころか、快感を与えることさえできるかもしれない。

経験の蓄積がルールをつくる——ヒューム

これに対して、「ルールに従う」ことには、刺激に反応しての規則的行動という以上の意味があり、少なくともその意味を理解して——たとえそれで自分が損をしても——自発的に従おうとする人は存在する、と見ることもできる。これは人間を、他の動物とは違って自分の欲求通りに行動するか、それを差し控えるかを自らの意志で決めることのできる、自由な存在と見る見方でもある。

この見方は、「ルール」の起源に関して二通りに分かれる。一つは、慣習に従うルーティンの行動パターンから次第に「ルール」が生成し、最初は無自覚的に従っていたのが、次第に言語によって「ルール」を捉えるようになり、意識的に従うようになる、という見方である。もう一つは、人間は理性を働かせることによって、自分が従うべき「ルール」を発見し、自分の意志でそれに従うことができる、という見方である。近代において前者の見方を代表するのは、イギリス経験論の哲学者で、自我は知覚の束であると主張したヒューム（一七一一～七六）である。後者の見方を代表するのは、自由の本質は自律、つまり自己を律する能力であると見たカント（一七二四～一八〇四）である。

ヒュームも功利主義者と同様に、人間の行動の根源的な動機は、快楽を求め、苦痛を回避する情念にあると見るが、肉体的に脆弱な人間は他の動物と違って、社会の中で他者と協力しないと生きていくのが困難であることにも着目する。社会の中で生きる時、自分だけの幸福のために行動すると、他者と衝突し、協力を得られなくなり、かえって苦痛を受けることになる。各自が他人の支配下にあるものには手を出さないよう、それぞれの振る舞いを規制することが、全体の共通の利益になることを、経験を通して徐々に気づくようになる。そうした振る舞いの規制に際しては、はっきりと言語によって約束する必要はない。はっきりした約束（promise）がなくても、人々の間にある種の取り決め（convention）が成立していると見ることができる。これは、一艘《そう》のボートを漕いでいる二人の人がいちいち声に出して取り決めをしなくても、お互いの体の動きを徐々に調整し、うまく協力できるようになるのと同じようなものである。

　こうして、他人が保有しているもの（possession）を侵害しないという黙約（convention）が成立し、各人が保有しているものの範囲が確定するようになると、それを基準に、どういう行為が正しく（＝正義）、何が正しくない（＝不正）か、といった観念が生じてくる。こうした黙約による原初的なルールに基づいて、「所有 property」「権利 right」「責務 obligation」といった、より抽象的な観念が生じてくるという。これらの観念は、お互いの目の前にその事物がなくても、どちらかが実効的に保有していなくても通用する。黙約に即した自他の行為に伴うプラスの情念と、それに反する行為から生じるマイナスの情念の働きによって、そうした抽象的観念の輪郭が徐々に形成される。「所有」「権利」「義務」といった抽象的な観念から、「正しい／正しくない」という具体的な道徳感覚が生じるわけではない。

これらの観念に従っての日常的実践から、誰の所有物か決定するための諸規則（rules）、同意によって所有を移転する際の諸規則、約束を実行するという規則が形成される（＝三つの基本的な自然法）。さらに、所有や正義を保持する仕組みとしての政府とそれに対する忠誠（allegiance）、国家間の正義に関する諸国民の法（laws of nations）、夫婦を中心に家族を守っていくための特殊な責務としての貞節（chastity）と慎み（modesty）なども生じてくる、という。

これらの諸観念や規則は、それに従った／反した際に生じる快苦の情念によって支えられているが、各人はこのルールに従って（反して）このように行為したらどれだけの快（苦）が得られるかいちいち計算しているわけではないし、ルールに従うことによって長期的に得られる利益を計算しているわけでさえない。功利主義の一種であるルール功利主義は、功利性のあるルールには従うべきと論じるが、ルールは黙約に基づいて形成すると考えるヒュームの道徳論には、「べき」の入る余地はない。社会の中にルールが定着し、それに従って行為することが当たり前になっているため、ルールに従う（反する）こと自体が快苦の原因になっているのである。

このように、**原初的な経験の積み重ねと共有によって抽象的なルールの複合的な体系へと発展していく**、という想定に基づくヒュームの道徳哲学は、社会科学における人間行動の分析に通じており、人間の必ずしも意識化されていない行為の意味を問う現代の哲学的な議論でしばしば参照される。ヒュームの黙約論は、社会や国家、正義の起源は自由な主体たちの自発的な合意に基づくとする社会契約論に反対するという見地から構築されているので、現代版の社会契約論であるロールズの正義論を批判する文脈でもしばしば引用される。サンデルの『リベラリズムと正義の限界』（一九八二、九八）や『正義』（邦訳タイトル『これからの正義の話をしよう』、二〇一〇）も、ロールズ批判の重要な場面でヒュームの議論を参照している。

理性がルールを形成する——カント

ルールの起源についてのもう一つの見方を代表するのはカントである。経験の中でのルールの生成に注目するヒュームに対して、カントは、**私たちの理性は**（幾何学の公理を発見するように）**道徳法則を発見することができ、それに従う意志を自発的に形成することができる**、という前提で考える。有名な「汝《なんじ》の意志の格率が普遍的立法の原理として妥当するよう行為せよ」という定言命法の定式は、カントのルール観を凝縮して表現したものである。

「～したいのであれば、～せよ」と条件つきで自らに命令する仮言命法は、その条件次第でいろいろ変化する。例えば「貧乏したくなければ、一生懸命働け」という命題であれば、親の遺産などで貧乏になる可能性が極めて低いのであればほとんど意味をなさないし、貧乏と感じるのがどういう状態であるかは、その人の年齢や居住環境、人間関係によって変化する。

私たちが道徳的判断だと思っているもののほとんどは、仮言命法によっている。「困っている人を助けなさい」というような、一見定言命法に見えるものでも、「他人から嫌われたくなかったら」とか「社会的名声を得たければ」といった条件が隠れていることが多い。「人目につかないところで、困っている人を助けなさい」でも、「それによって自分がいい人であるという自信を得たいなら」というような条件が意識化されない動機として潜んでいるかもしれない。惰性が条件となって、ある行動を取っているだけかもしれない――慣習によって成立するヒューム的な意味での道徳的行為は、定言命法によるものではないことになる。

このように考えていくと、純粋な「定言命法」など現実にはないことになるではないか、ということになりそうだが、「仮言命法」が条件に左右されることから逆に考えると、いかなる条件によっても左右されることなく、いかなる状況で誰から見ても正しく行為するためのルールだと言えるものは、定言命法である可能性がある、ということになる——十分条件ではないが、必要条件にはなっている。

だから、定言命法はあのように定式化されるのである。自分の意志を導く格率（基準）が、どんなことがあっても変わらないものであることが、定言命法（普遍的ルール）に従って行為していると言い得る、最低限の条件になる。カント自身は、「嘘をつかない」といったようなものをその候補として考えていたようである。

主体が自らの生き方を決定できるという意味での「自律」を自由の本質と見る、ロールズを始めとする現代のリベラルな政治哲学者の多くは、カント主義者を自認する。無論、カントが『実践理性批判』（一七八八）で試みているような、純粋な定言命法の可能性を追求していたら、具体的な政策や制度の話はできない。多くの場合、カントの基準は弛《ゆる》められる。ある主体に自らの行為を選択する意志と能力があれば、その主体はカント的な主体、自らが従うべき道徳原理を見出し、自発的に従うことのできる主体と見なされる。

ロールズたちは、そうした自律した主体による合意を、社会的正義の基礎にすべきだと主張する。リベラルにとっては、自らの従うルールを自らの理性によって発見でき、自発的にそれに従うことができてこその自由な主体なのである。

ルールは歴史とともに進化する――ハイエク

認知科学を始めとする自然科学の影響を強く受けている現代の哲学者、特に英米の分析哲学系の道徳哲学者たちの大半は、人間に普遍的な道徳法則を発見する理性がアプリオリに備わっているという前提に立つカントよりも、経験によってルールに従う習慣が形成されてくるとするヒュームに近い見方をする。

しかし、人間が自律的な判断主体でなく、ただ慣習的にルールに従っているだけだとすると、道徳的諸規範の妥当性を哲学的に問うことが無意味になる。その社会に生きる人たちの慣習に合っていない規範を導入しても何にもならない、むしろ有害ということになるからである。この前提は、共同体ごとの「善」の基準があるとするコミュニタリアンの議論とは相性がいいが、道徳的諸規範やルールの普遍性を探究する哲学者には受け入れがたい。

そこで、**慣習的に形成されたルールが次第に洗練され、人類共通の普遍的な性格なものになっていく**、という進化論的な議論によって折り合いをつけようとする人たちがいる。

これはカント自身が論文「世界市民的見地から見た普遍史の構想」（一七八四）で模索した

路線であり、ヘーゲル（一七七〇～一八三一）の『法哲学要綱』（一八二一）は、道徳・法規範の進化論である。

現代においては、ヘーゲルのように歴史的発展の普遍法則を最初から前提にするのではなく、人間の本性に関する経験的事実だけからルールの進化を導き出すことが試みられている。そうした現代的なルール進化論で先駆的な仕事をしたのは、経済学者・政治思想家のハイエク（一八九九～一九九二）である。計画経済やケインズ主義的な福祉国家を原理的に批判する保守的な論客というイメージの強いハイエクだが、彼は、『感覚秩序』（一九五二）で、物理的な環境の中で人間の「心」がどのように構成されるか認知科学的な考察を加えている。

この著作でハイエクは、「心」と、物理的環境に属する「身体」を二元論的に捉えてきた、デカルト（一五九六～一六五〇）以来の近代哲学の認識論とは一線を画する一元論的な見方を示している。私たちの身体には、物理的刺激から得られる情報を分類し、整理＝秩序づけ（order）する知覚器官があるが、神経はいくつかの知覚器官から来る刺激を抽象的な信号にして、より上位のシステムに伝える。上位のシステムは、複数の神経の刺激を一つの信号にまとめてさらに上位のシステムに伝える……という多層構造として、私たちの「心的秩序 mental order」は成り立っている。

私たちの内では「心」と呼ばれる、物理的な外界とは異なる複雑な情報伝達システムが発達しているが、元になっているのは、あくまで物理的外界からの刺激であり、伝達媒体になっているのは、物理法則に対して運動している知覚器官や神経系、脳細胞などである。言ってみれば、コンピューターの中の情報処理過程のようなものが「心」なのである。このように、「心」を何らかの実体としてではなく、一連の情報処理システムとして機能的に捉えるのは、分析哲学の物理主義に通じる見方である――『現代哲学の最前線』第四章を参照。

ハイエクはこのように、人間自体を外界の情報を処理するシステム、外から与えられた刺激に対応して行動を最適化するシステムとして機能的に捉えたうえで、集団的な適応過程を社会進化論的に描き出すことを試みている。後期の主著『法と立法と自由』(一九七三、七六、七九)では、「心」の進化がどのようにして「ルール」の進化と連動し、やがて市場や法秩序のようなものを生み出していったか、マンデヴィル(一六七〇頃〜一七三三)、ヒューム、アダム・スミス(一七二三〜九〇)などの市場経済を正当化した思想家たちの論説を参照しながら、体系的に論じている。

集団における振る舞いの規則性(ルール)が経験の蓄積とともに進化するのと連動して「心」も進化する。「振る舞いのルール rule of conduct」が進化するというのは、最初はボートを漕ぐ二人の人の黙約のように、決まった動作をほぼそのまま繰り返すだけで、動物の集団行動と大差ないものが、社会の構成員が増え、様々な技術や協働作業の諸形態が洗練されるにつれて、次第に他者の保有物を侵害しないというような、抽象化されたルールへと置き換わっていくということである。それをどう理解し守るかは各人の裁量に委ねられ、お互いに事後的にチェックし合うような性質のものへと変化していく。行動を具体的に規定するルールから抽象的に形式化されたルールに移行するにつれ、人々の選択の余地は増え、合理的に思考して行動を選択する能力（理性）が発達する。

　地縁・血縁による「小さな社会」から、多くの職業に従事する人が分業し、生産物を交換する「大きな社会」に移行するにつれ、「振る舞いのルール」はより抽象化されるとともに、各種の契約に適応可能で、人々が各人に固有の目的を追求するのにふさわしいものになっていく。ハイエクによると、市場の本質は効率性ではなく、進化し続ける「正しい振る舞いのルール」である。社会全体を覆う「正しい振る舞いのルール」のうち、商取引という形で異なる目的を追求する人々の利益を調整し、共通の利益を生み出している最も中核的な性質のものが、市場の秩序を形成しているのである。

　ハイエクは『隷従の道』（一九四四）や『自由の条件』（一九六〇）で、ナチズムや社会主義とともに、ケインズ主義や功利主義を徹底批判したが、それらに共通するのは、人間の行動様式や理性とともに進化してきた「正しい振る舞いのルール」を無視して、全てをゼロから作り直そうとする設計主義の発想をしていることだ。「正しい振る舞いのルール」は、様々な目的を追求する人たちの長年にわたる経験を反映して進化してきたものであるから、現にうまく機能している。重要な場面以外では、自分で判断しないで無自覚にルールに従って＝規則的に行動していればどうにかなる。それを、自分は頭がいいと思っているごく少数の人間がゼロから設計し直したプログラムにいきなり置き換えられるというのは、合理主義的近代人を自称する人間の傲慢である。

「法」とは「正しい振る舞いのルール」の一部が、紛争解決や期待形成のために、つまりどういうケースでどう決着がつくかを分かりやすくするために明文化（articulate）されたものである。英国で発達した「法の支配 rule of law」は、「正しい振る舞いのルール」の全体を背景として念頭に置き、それと整合性が取れるように判決を出すことを試みてきた裁判官たちの法解釈の実践（＝コモン・ロー common law）に根ざしている。「法の支配」の中核にあるのは、個人間の紛争解決のための私法の判例の蓄積であり、議会での「立法」によって制定される行政法などの公法は、それを適宜補正するための装置である。「憲法constitution」によって、ゼロから国家体制（constitution）が出来上がるかのような発想は、「法の支配」と相容れない。

ハイエクは、このようにして近代国家の「法の支配」にまで進化した「正しい振る舞いのルール」は、結果的に人類のほとんどが受け入れ可能な性格になっているはずなので、カントが示唆した普遍的な道徳・法原則に近似したものになっていく可能性を示唆している――ハイエクの「ルール」進化論について詳しくは、拙著『新装版　いまこそハイエクに学べ』（春秋社）を参照。

ルールは「言語」を介して生成される――ハーバマス

ハイエクが経済学と法学の視点から「ルール」の進化を論じたのに対し、ハーバマスは言語学、特にどのような文脈でどのような言語表現が使用され、どういう効果を持つかを探究する語用論と、その哲学的基礎である言語行為論を起点にルールを捉えている。

『コミュニケイション的行為の理論』でハーバマスは、近代化を宗教的な信念、聖なるものをめぐる（解釈的に閉じた）記号の体系によって結びついた共同体から、コミュニケーション的行為による相互理解によって結びついた社会への移行のメカニズムとして明らかにすることを試みている。そこで前提になるのが、コミュニケーションが単なる観念的な合意を形成するだけでなく、それによって互いの行為を拘束するようになる、ということである。「私たちは互いに○○した方がいい」と〝合意〟しただけで、実際にそれを行動に移さなかったら、それが慣習・制度化し、社会を変化させることにまで繋がらないからである。

ハーバマスはまず、ウィトゲンシュタイン（一八八九～一九五一）が『哲学探究』（一九五三）で提起した、「ルールに従っていると思うことと、ルールに（実際に）従っていることは同じではない。だから我々はルールに私的に従うことはできない」という命題をコミュニケーションの視点から解釈することから始めている。私たちは日常的に、自分ではルールに従っているつもりでも、他人から「あなた、規則違反ですよ」といきなり言われて、驚いたり、むっとしたりすることがある。ルールブックを読んで、自分が実は長いことルールに違反してきたと知って、唖然《あぜん》とすることもある。

では、どうやったら、本当の意味で「私はルールに従っている」と言えるのか。それは、ルールに従って、同じ行為と見なせることを繰り返し行えることと、それが同じルールを共有しているはずの他者に対してルールとして通用すること、である。ウィトゲンシュタインが挙げているチェスの例で言えば、ある駒の動かし方のルールを知っていると言えるには、それを実際に何手か動かしてみて、それが同じルールに従っていることだと、他のゲーム参加者から承認されることが必要である。言い換えれば、その人が従っているルールの「**同一性** identität」と、「**間主観的妥当性** intersubjective Geltung」である。

「ルールに従うこと」が、ゲームや協働作業の一環であり、「間主観的妥当性」という側面を持っていることを念頭に置くと、コミュニケーション的行為によって設定されたルールに人々が従うことは、さほど不思議な現象ではなくなる。作業を進めるに当たって難しい問題が生じた際、あるいはセーフかアウトか微妙なケースが生じた際、協議して細目に関して設定した新ルールを無視していたら、その営みは立ち行かなくなり、自分も損をする。原初の共同体の協働作業では、ボートを一緒に漕ぐ場合のように、相手の所作や船の揺れや傾き、波や風の状態を信号として読み取り、それに規則的に反応するだけだが、次第に言語を介して、お互いが従うべき規範としてのルールを特定して認識を共有し、妥当なものにしていく。

　コミュニケーション能力を持った主体たちは、社会生活を営んでいくうえで、（単なる規則性ではない）規範としてのルールを自ら作り出し、制度化していくことができるのである。前章で言及した「コミュニケーション的理性」というのは、現実からかけ離れた理想ではなく、**日常的な実践の中で自分たちが半ば無自覚的に従っているルールを言語化して再認識し、より使いやすいものへと拡張していく能力**だということができる。その意味でのコミュニケーション的理性を伴ったコミュニケーション的行為を性格づけるために、言語行為論や語用論を援用するわけである。討議倫理は、そうした日常的に行われるルールの再編過程を、討議の部分に焦点を当てて厳格化したものだ。
ハーバマスは『討議倫理のための注釈』（邦訳タイトル『討議倫理』、一九九一）などで、心理学における道徳性発達理論の成果やアメリカでのリベラル／コミュニタリアン論争も参照しながら、討議を通して人間の道徳的判断力が次第にローカルな性格を脱して普遍的なものになっていくことを示唆しているが、そこでも、人間が自分たちが現に従っているルールを間主観的に再構成し、それに反省を加え、作り替えていけることが強調されている。

　このように日常行動の規則性とそれをめぐる言語行為というところに着目すると、ハーバマスの「コミュニケーション的理性」は字面的な印象よりも現実的な議論であると思えてくる。しかしフランスのポスト構造主義的な潮流を代表する哲学者であるデリダ（一九三〇～二〇〇四）は『有限責任会社』（一九八八）で、言語行為の主体による新しい関係性・規範の創造に見えるものは、実は、主体の内にすでにインプットされ、フォーマット化された慣習的な言葉遣いを多少のバリエーションを伴って「反復」しているだけで、真に新しいものは生み出されていないのではないか、と示唆している。対話して〝新たなルール〟についての合意を自発的に形成したように見えても、実際には、互いにどこかで習ったお決まりのフレーズを持ち出し、お決まりの答えを採用しているだけではないか、ということだ。学校のHRで、子どもたちがどこかで聞いたような台詞で〝討論〟することを想像すると分かりやすいだろう。

ハーバマスは、言語によるコミュニケーションには、自分たちの行為を捉え直す反省的性格や新たなルールを生み出す開放性・創造性があると見ているが、デリダからすれば、〝コミュニケーション〟自体がその表現媒体である言語や言語が発話される文脈によって強く規定されていて、〝コミュニケーションする主体〟たちが自覚しないまま、自らの内に埋め込まれたルール（規則性）に従っている可能性は排除できない。これは哲学的に興味深いテーマだが、諸般の事情があって、両者の間での本格的な討論には至らなかった――これについて詳しくは、拙著『ポストモダン・ニヒリズム』（作品社）の第七章を参照。

スコア記録としてのルール

ウィトゲンシュタイン―ハーバマス・ラインの「ルール」の起源論は、現に「～している」という事実としての「ルール」と「～すべき」という規範としての「ルール」を仲介できていそうに見えるところが魅力だが、逆に言うと、「事実」と「規範」はどういう関係にあるのか、何があったら「事実」は「規範」になるのか、それとも両者は違う次元にあって、関係づけようがないのか、というヒューム以来の近代哲学の大問題をうまくスルーしているとも言える。この問題に独自の視点から切りこんだのが、ネオ・プラグマティズム——分析哲学にプラグマティズムの視点を取り入れ、人間の現実の行為や言語活動の面から、哲学的諸問題を捉え直すことを特徴とする——の哲学者ロバート・ブランダム（一九五〇〜）である。

主著『それを明示的にする Making It Explicit』（一九九四）などでブランダムは、「規範」を、人間の行動を現実に規制する不可視の力のようなものではなく、人間の行動や人間に関わる出来事を説明する言説において、一定の役割を担った「語彙」の問題として考える。例えば、「雨が降りそうだから、傘を持って外に出よう（出るべき）」「私はサラリーマンだから、仕事中はスーツを着よう（着るべき）」というような形で、私たちは自他の行動の理由を説明するために、「〜しよう」「〜すべき」「〜が望ましい」といった語彙を使っている。

私たちは日常的な会話で、「空が急に曇ったら、雨が降るだろう」とか、「彼が高校生であれば、この時間は学校にいるはず（べき）だ」といった、「〜であれば、〜だろう（べきだ）」という条件文の形で表現できる一連の基本的な推論にコミットしている。これらは、「空が急に曇る」→「雨が降る」→「傘を持つ人が増える」→「駅が混雑する」→…というような形で連鎖していて、相互依存的な関係にある。いちいち論理的に考えて結論を出さないでも済むよう、基本的な推論のパターンを作って、それらが正しいものと見なしている。それがコミットメントである。そうした推論のパターンにコミットしていないと、私たちの認識や会話はまとまりのないものになり、どう行動していいか分からなくなるだろう。コミットメントには、認識の内容に関わるものと、どう行動すべきかという実践に関わるものがあり、「規範」は主に後者を表現する文に出てくる。そうした「(し)よう」や「(す)べき」を直接的に使う、あるいは言外に想定することで、私たちは自他の行動についてそれが合理的だと納得したり、不合理だと感じたりする。

無論、誰かが一方的に、「Aという状況なので、私はBすべき」と発言して、そのように行動しても、周囲の人がその実践的推論にコミットしているとそのまま認めてくれるわけではない。周囲の人は、彼の行動に一貫性があるか、それぞれの状況において適切であったか、自他のその前後の行動と整合性があるのか、といったことを観察し、(記憶の中に)記録する。それをブランダムは「**義務に関するスコア記録** deontic scorekeeping」と呼んでいる。「スコア記録」に従って、周囲の人はその人が実際にその実践的推論にコミットしていると言える資格があるか、彼がちゃんとした理由に基づいて行為しているか判定する。

この「スコア記録」と「資格付与」という視点から見ると、「ルールに従う」というのは、その主体の行為を「規範的な語彙」によって説明・理解すること、およびそれに伴う本人や周囲の人の受け止め方、そして、その帰結としての社会的評価やサンクション（圧力や制裁）、さらにはその評価やサンクションによる当該行為の確認・強化といった一連の社会的プロセスとして理解できる。つまり、「規範的な語彙」を使った一定のタイプの行為の記述が、社会的に制度化されたものになっているのが「ルール」であって、規範的な言説を離れて、「ルールに従う」という現象はありえないことになる。ブランダムはそうした規範的語彙がどのような機能を果たしているのかを明らかにする「**規範的語用論 normative pragmatics**」を提唱する。

ハーバマスは『真理と正当性』（一九九九）に収められている論文「カントからヘーゲルへ：ロバート・ブランダムのプラグマティズム的言語語用論」で、概念や規範を実在論的に捉えるのでも、各人の主観に還元するのでもなく、主体相互のコミュニケーションの視点から捉え直そうとするブランダムの試みを概《おおむ》ね好意的に評価する一方で、ブランダムの語用論だと、各当事者が自らの行為や言明に道徳的にコミットしているのか、単にその時々の都合でそうしているだけなのかを判別する基準が各スコア記録者にないことを問題として指摘している。

スーツを着ることが義務だと思ってそうしているのか、周囲の人の反応を想像して、そうするのが普通だと思うから着ているだけなのか、スコア記録者には分からない。本人の自己申告とか態度を見て判定するにしても、○○という言い方をしたら、あるいは、▽▽の態度を取ったら義務としてやっていると見なす、というような判定基準があらかじめ与えられていなかったら、判定できない。自発的に「ルールに従っている」のかどうか分からないからだ。お互いの間で通用する判定基準があって初めて、「規範的な語彙」に意味が生じるとすれば、その判定基準はどうやって得たのか。スコア記録による、と答えたら、循環論法になってしまう。

ブランダムはむしろ、単なる反応と規範的態度の区別を相対化しようとしているように思えるが、コミュニケーション的実践の当事者が、討議倫理を起点とする普遍的な規範を志向している、という立場を取るハーバマスにとって、「規範」を全面的に当事者の視点や文脈に依存するブランダムの試みは受け入れがたいのだろう。

進化的選択としてのルール

ポストモダン系の思想や反グローバリズムの左派に対する批判で有名なカナダの哲学者ジョセフ・ヒース(一九六七〜)は、『ルールに従う』(二〇〇八)で、「ルールに従う」ことを進化論的に基礎づけている。彼は、ハイエクのように慣習の積み重ねを重視するのではなく、人間の進化論上の特徴としての「**規範同調性** norm conformity」に焦点を当て、それが集団としての生き残り戦略として有利であることを、ゲーム理論やブランダムの規範的語用論を用いて説明している。

「規範的同調性」というのは、文字通り、「規範」が示されたら、それに同調して行動しようとすることである。他の動物は、遺伝的に備わった性質に従って同類の行動に同調することはあっても、特定の集団の中で形成され、そこでだけ通用する「規範」という抽象的なものに同調することはない――発達心理学者のトマセロ（一九五〇〜）も『道徳の自然誌』（二〇一六）や『人間になる』（二〇一九）などで、初期のヒト（early human）の間に生じた、狩猟などの際に特定のパートナーと協働（collaborate）しようとする傾向が基盤となって、集団の「規範」に同調して生きようとする現生のヒトの属性が発達したことを指摘している。

ヒースは、社会生物学などに影響された自然主義的・進化論的な社会理論の大半が、各個体に進化の結果として備わっている属性――道具的合理性、あるいは利他性――から、道徳を始めとする社会的規範を直接的に導き出そうとしていることを問題視し、それらの限界を指摘する。

利他的な個体が多く生まれて、利己的な行為に自然と制約がかかるというような見方では、フリーライダー（ただ乗り）問題を解決できない。各個体が自分の生き残りのための最善の戦略を――道具的合理性によって――いろいろ模索した結果、我々が現在〝規範〟と呼んでいるものによってお互いの行動を制約するようになるという、ホッブズ的な見方でもうまくいかない。特定の「ルール」を選んでそれに従うようになる、という現象を説明できない。自分が「ルール」に従ったらどうなるか、その帰結が分からないからである。少なくとも、他者も自分と同じように行動するという間主観的な期待がないと、「ルール」に従うメリットはない。

そうした問題点を確認したうえで、ヒースは、進化の過程で人間に備わるようになった規範同調性と、広く共有された「規範」によって調整されたゲームに参加することによって実際に得られる効用との間のフィードバック関係によって、次第に高度な社会統合（social integration）が成されるようになることを、ブランダムの「コミットメント」と「スコア記録」をめぐる議論を参照しながら論証している。

最初は、単に自然に備わった性向として、他の個体を模倣して規則的に行動しているだけだとしても、次第に自分たちの行動を規制している〝規範〟を見出し、その〝規範〟に対する自他のコミットメントの「スコア記録」を取るようになる。そうなると、「（規範としての）ルールに従うこと」に実際にメリットがあることが認識され、それが元々備わっていた「規範同調性」にフィードバックし、強化することになる。そのプロセスで、お互いがどのような規範的理由に基づいてそういう行動を取るのか表明して、それを評価し合う、「理由」をめぐるコミュニケーションが、「ルール」を明示し、進化させていくうえで重要な役割を果たす。それに伴って、様々な文化的制度が出来上がっていく。

ヒースの「ルール」論は、「規範」としての「ルール」の究極の起源を進化に求めるという点では自然主義的だが、「ルールに従う」ことに、文化的な存在である人間に固有の意味があることを強調している点で、カント－ハーバマス的である。

ヒースによれば、アリストテレスから現代の行動経済学や脳神経倫理学に至るまで、二千数百年にわたって社会理論家たちを悩ませてきた「アクラシア akrasia」、つまり「**意志の弱さ** weakness of will」をめぐる問題も、社会的ルールに従うことで効用を得ようとする「**実践的合理性** practical rationality」の自己自身への適用という観点からうまく説明できるという。

例えば、スリムな体を手に入れるためにダイエットしようとしても、食べたいという欲求に負けて脂肪分の多いものを食べてしまい、それまでの努力が無駄になってしまうということがある。これを、食べたいという短期的な欲求がスリムになりたいという長期的欲求を瞬間的に上回るためだ、と説明してしまうと、ではどうしてダイエットに成功する人が多いのか説明できなくなる。その人たちは、「意志が強い」とでも言うしかないが、そうすると、肉体的な欲求を越える「意志」とは何か、なぜそれが強い人と弱い人がいるのか、という形而上学的な問題に入り込んでしまう。これは、自(己規)律一般について言えることである。

人間は、他者との間に設定した「ルール」だけでなく、自己自身の内で設定された「ルール」にも同調する傾向があり、一度コミットした「ルール」に従い続けることのメリットを評価することができる(=実践的合理性)とすると、ダイエットするというルールに従うことができる人がいることはさほど不思議ではない。成功する人は、〝意志が強い〟というより、食べるのとは別のところで緊張感を緩めたり、他所に関心を向けたり、すぐに食べられない環境に身を置いたり、友人に協力してもらったり、食べることに関する「ルール」を現実的に守ることのできる水準に設定したりするなど、同調する傾向を補強するための様々な外的メカニズムを利用しているのである。

私たちの文化は、与えられた「ルール」に従おうとする規範同調性を外的メカニズムによって補強するように形成されている、と言っても過言ではない。

第三章　プライバシーは消滅するのか

——変貌する公／私の境界線

古代人の自由から近代人の自由へ

私たちはどういう時に自分が「自由」だと感じるだろうか。多くの人は、他人に干渉されることのない、プライヴェートな空間と時間にいる状態を想像するだろう。他人に気を遣わないといけないオープンな空間にいる時、私たちは不自由な感じを受ける。

しかし、インターネットの発達で、どこにいても人と繋がれる／繋がらないといけない状態、自分がどこにいるか容易に探知されてしまう状態が当たり前になりつつある。純粋な意味でくつろげるプライヴェートな空間はもはやどこにもないような気もしてくる。その一方で、インスタグラムやフェイスブックを活用することで、新たなプライヴェートな空間が出現しつつあるような気がしないでもない。

では、「公 public」と「私 private」の分離にはそもそもどういう意味があったのか。どうして「公」の空間で他人に見られていると緊張し、「私」の空間に引きこもった時にリラックスできるのか。

政治哲学者ハンナ・アーレントが『人間の条件』（一九五八）で示した説明によると、「欠如」を意味するラテン語〈privatus〉から派生した〈private〉は、元々は、「公性」が欠如している（＝秘密が保たれる）場としての「家」という空間の特質を表す語彙であった。その場合の「公」というのは、ポリス（都市国家）の政治が行われる場、市民たちが公衆（＝

他の市民たち）を前にして、相手を説得すべく言論活動（act）し、良き市民を演じる（act）場である。

古代ギリシアやローマの思想に詳しいアーレントは、対等な市民たちが自由でオープンに語り合う公共の場においてこそ、動物的な欲求に囚われることなく、豊かな人間性が発達したと考えた。言語を中心とした表現力で、互いに説得し合う能力こそ、人間であるための最も重要な条件であり、その能力を発揮できることが「自由」であった。

その一方、公の光（他の市民の目）が入って来ない「家」というのは、家長＝市民が他の家族や奴隷を、時には暴力に訴えて権力的に支配し、衣食住や性に関する生物的欲求を満たす領域、動物的になることができる領域である。市民の嗜《たしな》み＝教養＝人間性（humanitas）を脱ぎ捨てて、動物のように欲求充足のために生きるのは、市民にとって自由とはかけ離れた状態であった。

しかし近代市民社会には、奴隷に労働させることで、経済の心配なく言論活動に専念できる市民などいない。ほぼ全ての人は生きるために働き、自分の経済的利害を常に念頭に置かざるを得ず、政治の主要なテーマは、いかにして理想の共同体を目指すか、どのような市民を育成するかではなく、経済をいかに成長させ、その利益をいかに配分するかになった。他人をうまく出し抜き、自分に有利なように妥協に向けての交渉を進めようとする各党派は、自分たちの意図を隠し、裏工作に力を入れる。公共空間は本来の性格を失い、市民的な自由の余地は少なくなる。

公共空間は、第一章で論じた、公共的な討論に基づく「民主主義」が機能する場であるわけだが、アーレントの見方では、近代の公共空間はかなり私的な利害によって汚染されているので、ハーバマスやロールズが言うような、公共的理性を通しての「正しい社会」の探求は挫折せざるを得ない。

経済的利害をめぐる――動物的な欲求をむき出しにした――闘いに疲れた人たちは、生産活動に関わる機能を縮小させ、少なくとも表面的には〝経済〟的な利害関係から解放された一方で、空間的な私秘性は保たれている「家」という場と、そこに集う、恋人や友人などの親しい人とだけからなる親密圏（the intimate）に安らぎを求めるようになる。それが現在、私たちが「プライヴェート」とカタカナ表記しているものである――英語の〈private〉は、現在でも「秘密の」とか「部外秘」といった本来に近い意味でも使われている。西欧近代においては、見知らぬ他人が入ってこない「プライヴェート」な空間を重視する生活様式や、それを美化する文学・美術作品が発達した。

このことは、キリスト教的な価値観が支配する中世では、極めて公的な事柄であった宗教が、近代においては宗教改革などの結果、政治的影響力を失って私的領域に後退し、私事化していったこととも関係しているかもしれない。後でまた触れるように、政教分離が進んだ近代国家は、公共空間とは宗教的に中立であるべきであり、特定の宗教の儀礼のために占有されてはならないことを前提としている。公的な場面での宗教色を帯びた儀礼によって共同体の一体感が経験されることが少なくなり、宗教もまた純粋に内面的な問題と認識されるようになると、宗教の理想である〝穢《けが》れなき純粋なもの〟を求める人が、汚れた公共圏を嫌い、内省に浸ることのできるプライヴェートな空間に愛着を抱くようになった、と見ることができる。

ナポレオン時代から王政復古期にかけて活躍したフランスの小説家・政治思想家バンジャマン・コンスタン（一七六七〜一八三〇）は論文「近代人の自由と古代人の自由」（一八一九）で、古代人にとっては、主権の行使に参加すること、公共の場で熟議し、外交や軍事、法や予算に関する決定に関与することが自由であったが、「私的な享楽の安全 la sécurité dans les jouissances privées」を求める近代人にとっては、この享楽のための制度的な保障が自由である、と述べている。**古代人の自由が集団的な性質のものであるのに対し、近代人の自由は極めて個人主義的である。**

こうした「自由」観の変化を受けてミルは『自由論』で、あらゆる問題を政治化しようとする民主主義から個人の自由を守るため、他者に危害を及ぼす可能性がある行為領域

（公的領域）と、他人に危害を加える恐れが少ないので、本人の自由に任されるべき領域（私的領域）を区別すべきことを提唱した（＝他者危害原理）。最も狭義の私的（プライヴェートな）領域、自分の生命・身体、ライフスタイルにのみ関わる領域は、日本国憲法で言えば一三条の「幸福追求権」が適用される領域、自分の幸福を自分で定義し、自分のやり方で追求できる領域と考えられている。プライヴェートな領域がないと、人は自分らしく生きられない。その意味で、**「公／私」区分は近代自由主義の基礎**と考えられる。

　このように、近代市民社会で生まれた狭義の「プライヴェート」には、心の平穏を保ち、ごく親しい人たちとの関係を培う心理的な意味とともに政治哲学的な意味合いも含まれているわけだが、この二つの側面の間には緊張関係がある。多くの個人が「プライヴェート」な空間の快適さに浸り、政治のような公的活動に参加しない〝自由〟を行使すると、外交、防衛、福祉などの公的な事柄は、ごく少数の政治のプロの手に委ねられることになる。そうなると、プロたちの意向によって、個人のプライヴェートな生活を圧迫するような政策が――多くの人が気づかないうちに――実行される恐れがある。

家に個室があるということ

　近代自由主義における「公／私」区分が孕《はら》む問題について検討する前に、「プライヴェートな領域」が建築上の構造と関係していることを指摘しておきたい。「プライヴェートな領域」に引きこもるには、「他人」の介入を防ぐことのできる閉鎖された空間が必要だ。家族との生活がその人にとっての「プライヴェートな領域」であれば、家族が一緒に住む一軒の家、一つの部屋があればいい。しかし、家族もある意味他人であり、家族ともある程度距離を置いて生活したい人にとっては、家の中に鍵がかかるドアがあり、ある程度防音効果がある個室がなければ、プライヴェートな領域を確保しているとは言えない。

そういう個室があるのは、それなりに生活に余裕がある家族だと考えられる。エンゲルス（一八二〇～九五）の『イギリスにおける労働者階級の状態』（一八四五）やマルクス（一八一八～八三）の『資本論』（第一巻、一八六七）で記述されているような、労働者用の粗末なアパートの一室に家族全員、場合によっては複数の家族が住み込み、不自由で不衛生な生活を強いられたら、個人どころか家族のプライバシーでさえほとんど意味をなさないだろう――現代日本で社会問題化している「引きこもり」も、個室がなければ「引きこもる」こと自体がかなり困難である。下宿で一人暮らしをしている人であれば、その点は一応クリアできる。

一九世紀から二〇世紀初頭にかけての西欧の代表的な文学作品を注意深く読むと、この点が意外と重要な役割を果たしていることに気がつく。例えば、バルザック（一七九九～

一八五〇）の『ゴリオ爺さん』（一八三五）やドストエフスキー（一八二一〜八一）の『罪と罰』（一八六六）のように、主人公が貧しい苦学生だが、それなりの身分の出で、下宿でひとり暮らしをしているという設定のものが少なくない。そういう人物が、自分の部屋（＝プライヴェートな空間）で自分の生き方についていろいろ思いをめぐらし、おかしな想念に取り憑《つ》かれ、突拍子もない行動に出るというのは、よくありそうなパターンであり、現代人もさほど違和感を覚えない。

ゾラ（一八四〇〜一九〇二）の『居酒屋』（一八七七）や『ジェルミナール』（一八八五）のように、貧しい大人数の家族が小さな部屋に暮らしている、マルクス＝エンゲルス的な設定の小説だと、プライヴェートを感じさせる場面はあまり出てこない。むしろ家族、同居人同士が互いの視線に晒されていることが強調されている。それに対して、有力なブルジョワの一族の歴史を描いたトーマス・マン（一八七五〜一九五五）の『ブッデンブローク家の人々』（一九〇一）のような作品だと、主要な人物が自室に閉じこもって家族の他のメンバーには明かさない独自の考えをめぐらす、という場面が出てくる。プライヴェートな空間で独自の趣味や生き方を追求するというのは、西欧市民社会のある程度余裕のある層から始まった特異な現象であるように思える。

プライヴェートな空間の閉鎖性と連動した、個人の内面で進行する疎外された思考過程の歪み、異様さを作品の展開にうまく取り込んだ小説家として際立っているのは、カフカ(一八八三〜一九二四)だろう。有名な『変身』(一九一五)の主人公グレゴール・ザムザは、自室で虫になっているのに気づき、家族から隔離されて自室に閉じこもることになる。『審判』(一九二五)の主人公ヨーゼフ・Kは、ある日突然、下宿している部屋に侵入してきた見知らぬ男たちに、あなたは逮捕されたと告げられ、日常生活を監視されるうちに、(性的なものも含めて)様々な欲望を暴露されていく。その他、『城』(一九二六)や『判決』(一九一三)なども、ある人物が一人で閉じこもっている部屋に侵入したり、覗き込んだりすることで、隠された欲望や力関係が露わになり、物語が急展開するきっかけになっている。

現代のサブカルチャーでもよく見かける、ミステリーやホラーの、密室での事件や怪異の発生、密室に犯人や魔物が潜んでいるといった設定は、一九世紀に定番化したものである。ミステリーに関しては、エドガー・アラン・ポー(一八〇九〜四九)の『モルグ街の殺人事件』(一八四一)が草分けとされるが、彼は他の推理小説や、ホラー・幻想系の作品でも、屋内の閉ざされた空間をうまく活用している。密閉された部屋の中で、外界と一時的に隔離された状態に置かれた(王侯貴族ではない)個人が非現実的な妄想に浸るというのは、文学史的には一九世紀的な表象と言えそうだ。

プライヴェートと資本主義

フランクフルト学派の初期のメンバーのアドルノ（一九〇三〜六九）は、キルケゴール（一八一三〜五五）が、自らの内面世界の構造やそこで生じる出来事を、何を手掛かりに表象し、自己認識したかを論じた教授資格論文「キルケゴール――美的なものの構築」（一九三二）で、室内の書き物机やランプ、ソファ、敷物などのインテリア（Intérieur）――直訳すると、「内側」あるいは「内面」――が、重要な役割を果たしていることを示唆している。簡単に言うと、自分の内面の欲望を反映するようにインテリアを配置し、その雰囲気が意識の在り方にフィードバックする循環関係があるということである。

外界で資本主義的な生産様式の発展・拡大によって、全ての事物の価値が貨幣換算され、人々が機械の部品のように均一化された動きをする物象化現象が進行していく中で、先にアーレントに即して述べたように、「インテリア」に閉じこもって、自分だけの世界に生きようとする人たちが出てくる。ただし、そういう時間的・金銭的な余裕があるのは、キルケゴールのように、十分儲けたあとに引退したブルジョワ、あるいはブルジョワである親の資産の利子で生活する年金生活者だ。アドルノは、（資本主義的な富に支えられ、ブルジョワ的な感性が浸透した）「私的領域 Privatsphäre」に閉じこもろうとするキルケゴールの「内面 das Innere」に、資本主義的な現実がネガティヴな形で映し出されていることをを暗示している。こうした視点からアドルノは、「プライヴェート」なものと資本主義との関係を社会学的に明らかにすることの意義を強調する。

現代日本に置き換えると、自分の趣味に関わるフィギュアや写真、グッズなどで自分の部屋を装飾し、そこにふさわしいライフスタイルや独特のアイデンティティを培うオタクの存在に着目し、彼らの意識や行動様式、彼らの愛好するグッズのトレンドを調査することで、現代資本主義の特徴や変化の動向を明らかにする、ということに通じるだろう。

アドルノの「キルケゴール」は、「物象化」と「内面への退避」という資本主義がブルジョワ階級の青年のメンタリティに与える負の作用にフォーカスを当てたアプローチだが、英文学者のヴィクトリア・ロスナーは、ヴィクトリア朝時代の英国の文学者・知識人のプライヴェートな生活を研究した『モダニズムとプライヴェートな生活のアーキテクチャ』（二〇〇五）で、やはり「インテリア」と「内面性」の相関関係に注目しながら、よりポジティヴな側面を取り上げている。ヴァージニア・ウルフ（一八八二〜一九四一）やケインズ（一八八三〜一九四六）などが属していたブルームズベリー・グループの周辺では、プライヴェートな空間を従来と違った様式で再構築し、それに伴ってそこでの振る舞い方や（性的なものを含む）人間関係を変容させることが、社会変革に向けての実践的な意味を持っていた。公的な場所からプライヴェートな空間への退避という一見ネガティヴな振る舞いも、社会的な立場がまだ弱く、活動の場が限られていた女性には、男性の場合とは異なって、新たな自己を構築するうえで積極的な意味があった、という。

引きこもりを可能にする家族の基本構造という点で言うと、典型的な日本家屋は、障子や襖《ふすま》で仕切られているだけなので、十分なプライバシーは得られない。近代日本の知識人の内面性を扱った最も典型的な小説とされる、夏目漱石（一八六七～一九一六）の『こころ』（一九一四）の「先生」が下宿したのは八畳の座敷であり、部屋は襖で隔てられているだけなので、家主の未亡人と娘さんとの間でお互いの日々の行動は筒抜けになっている。

話を戻すと、ロスナーが指摘するように、主人公の性的欲望の秘密を主題とするオスカー・ワイルド（一八五四～一九〇〇）の『ドリアン・グレイの肖像』（一八九一）では、主人公の部屋に掛けられている彼の肖像画を始め、彼が長年にわたって収集した各種の楽器や宝石、刺繡《ししゅう》や織物などの芸術作品群が彼の内面を映し出す役割を果たしている。それに対し、同じように主人公の性的欲望を主題にする森鷗外（一八六二～一九二二）の『ヰタ・セクスアリス』（一九〇九）や三島由紀夫（一九二五～七〇）の『仮面の告白』（一九四九）には、主人公の内面と私的空間が対応しているように見える場面はなく、強いて言えば、主人公の身体以外に閉ざされた場はないように見える。

現代では、鍵がかかる洋間の個室が増えてきたが、一九世紀の西欧のブルジョワや知識人のように、自分なりの表象空間を作り上げることのできるほどのスペースと経済的余裕がある人はごく少数であり、文化的な様式が確立されそうにはない。狭い部屋にオタク・グッズを並べるくらいしかできないので、サブカルチャーに留まる。日本の文学ではミステリー・ホラー小説以外には、プライヴェートな空間としての個室がさほど大きな役割を果たしてこなかったし、これから見ていくように、ネットの普及によって、今後もそうなる可能性が高いように思える。

マイノリティ運動と公／私の線引き

家族の住居を中心に構成される近代のプライヴェートな領域は、古代のそれよりもかなり縮小したが、家長による支配や暴力という要素は依然として含んでいた。ミルの他者危害原理に従って、〝私的領域〟に公権力が介入してはならないことになると、家の内部での、あるいは恋人や友人同士の間での、時として暴力を伴った支配が正当化されることになる。また、ある宗教団体と密接に関わっている場面に、教団が家族や個人の生活に干渉してくることも、私事として片づけられる可能性がある。個人にとってのプライバシーと、家族や友人・恋人などの親密圏としてのプライバシー、そして宗教団体などの集団におけるプライバシーの三者は緊張関係にある。

一九六〇年代後半以降盛んになった第二波のフェミニズム運動——第一波は、フランス革命から一九世紀にかけて発展した、主として女性の市民権・参政権を求める運動——では、「**個人的なもの**（the personal）**は政治的である**」、あるいは「**私的なもの**（the private）**は政治的である**」というスローガンが掲げられた。具体的には、家事全般が女性の仕事と見なされて押しつけられることや、それが常識とみなされて社会進出が難しくなること、後にドメスティック・ヴァイオレンス（DV）と呼ばれるようになる暴力的支配が（公衆のまなざしから隠された）「私的領域」で生じていることとして見逃されてきたことが念頭に置かれていた。

それらは、家族や親しい人たち同士の間で生じた「私的（個人的）な問題」と見なされがちだが、女性に不利な「公／私」の線引きの結果生じた政治構造上の問題であり、公的領域における政治的なイシューにすべきである、というわけだ。それに対して、私事を公的な領域に持ち込むなどというのであれば、そういう態度こそ保守的な政治の現れだということになる。スローガンが掲げられたことを機にフェミニズムの中で、「公／私」の境界線を解体すべきだとするラディカル・フェミニズムと、私的領域における女性の立場の改善は重要だが、「公／私」の境界線によってプライバシーを守ることは女性にとっても重要だとする、リベラル・フェミニズムが分岐し始める。

この点は、同性愛者やトランスジェンダーなど性的なマイノリティ、あるいは、エスニック・マイノリティの人たちのプライバシーの問題とも絡んで複雑な様相を呈している。「公／私」の境界線は、異性愛の白人（あるいは、その国の文化的多数派に属する）男性にとって有利なように引かれているので、抹消すべきだという人たちもいれば、ジェンダーや性に関する問題がプライバシーとして保護されることで救われている人もいるので、一概にそうは言えない、と考える人たちもいる。プライバシーは基本的に個人のもので、家族や友人であれ、集団としてのプライバシーは認められないという立場を取るとしても、それを公権力や支援団体の助けを借りて、他者の介入から守ろうとすれば、ＤＶの問題などに典型的に見られるように、いろいろな個人的情報をある程度開示しなければならない――個人情報の問題にはまた後で触れる。

エスニック・マイノリティや宗教的マイノリティに、集団全体としての〝私的領域での自治（プライバシー）〟を認める場合、近代法で認められる私的領域での自由の限界をめぐる問題、およびマイノリティの中のマイノリティのプライバシーの問題、という二重の問題が生じる可能性がある。例えば、近代科学による教育を拒否する集団に、自分たちの子供の教育を完全に任せることは、子供の個人としての生き方（個人としてのプライバシー）を侵害することにならないのか、といった問題である。割礼、信仰に基づく生活の強制、輸血などの治療拒否、体罰を含む家父長的な権力の行使、（実質的な）一夫多妻など、通常の近代法では、たとえ家族でも個人に強制することは許されないものが含まれる。

マイノリティの集団は独自の文化を保つ必要があるので、メインストリームよりも広範な私的領域における自由が認められるべきだということを前提とするにしても、だったら、そもそもどういう根拠に基づいて、私的領域での自由の限界が決められているのかが改めて問題になる。教育を受けさせる義務とか、病気や怪我などの場合に治療を受けさせる義務とか、たとえ本人が受け入れていても一夫多妻状態や暴力支配は認められないというのは自明の理と見なされているが、そうしたことは他者危害原理だけでは説明できない。

さらに言えば、ノルウェーの分析的マルクス主義の社会理論家ヤン・エルスター（一九四〇～）が『酸っぱい葡萄《ぶどう》』（一九八三）で、「適応的選好形成 adaptive preference formation」と呼んだように、西欧近代の基準で〝抑圧的〟、〝非人道的〟と呼ばれるような環境で生活すると、自分の環境に合わせて自分の選好を変化させ、その人のアイデンティティを覆い尽くすこともあるだろう。本人もそれが〝自然〟と思い、苦しいと感じていても、環境とセットで自分の選好を大幅に改造することに不安を感じる、ということがある。そうなると、誰にとっての〝プライバシー〟を保護すべきなのか分からなくなる。

ポストモダン・フェミニズムの法哲学者ドゥルシラ・コーネル(一九五〇〜)は、各人が親密な他者たちとの関係を通して自己像を作り直し、アイデンティティを徐々に再構成するための余裕を与えてもらう権利、自己決定のための基礎を獲得するメタ権利としての「**イマジナリーな領域への権利** the right to imaginary domain」を広範に認めるべき、と主張する――この権利について詳しくは、第八章を参照。無論、「イマジナリーな領域」での自己再形成を考える場合でも、自己像を作り直す起点をどこに置くのか、本人の自己申告だけでいいのか、という問題は残る。

義務づけられたプライバシー

こうした公私の境界線をめぐる問題は、広い意味での「私的領域」の中だけではなく、公共空間でも生じる。政教分離が進んだ西欧諸国は、議会、役所、裁判所、公立学校など、価値中立であるべき公共空間に宗教的要素を持ち込んではならないことを原則としてきた。フランスではこれを「世俗性の原則 laïcité」と呼び、政策的に徹底してきた。そのため、一九八〇年末からイスラム系の少女が教室でヒジャーブ(スカーフ)を着用することの是非をめぐる問題が議論されている。

主な論点は二つある。一つは、公共空間はそもそも厳密に価値中立的であるべきなのか、厳密な中立化が可能かということである。アメリカの大統領の宣誓式に聖書を用いることや、（神話的な起源に基づいて皇位を継承する）日本の天皇が国民統合の象徴として国事行為を行うこと、英国の国王が国教会の教会長でもあることなどはどうなるのか。それぞれの国の文化形成に特定の宗教、あるいは包括的教説が深く関与していることが多く、何をやるにしても多少は何らかの世界観に有利になってしまうが、それをどこまで気にするかということがある。

もう一つは、仮に公共空間の価値中立性の基準が確定しているとしても、教室でスカーフを外すよう強制することは、その人の私生活に干渉することにならないのか、という問題である。自分の家や部屋がプライヴェートな空間で、外は基本的に公的空間と考えれば、簡単に切り分けられそうだが、本人の外見や姿勢、所作、持ち物などの選択もプライバシーの一部だという考え方もある。〝公的空間〟に入った瞬間に、それらに対する個人のコントロールは大幅に制限され、変更を余儀なくされる、というのが〝常識〟とされることが多いが、髪型や髭《ひげ》、タトゥーのようなものは、空間を移動するたびに身体から付けたり外したりできるものではないし、服装や化粧などもすぐには変更できない。

コミュニタリアンの社会学者アミタイ・エツィオーニ（一九二九〜）は、『プライバシーの限界』（一九九九）で、西欧では、プライバシーは権利と見なされることが多いが、特定の身体的部位や行為を公の場で見せることを禁じられるという意味での、「**義務づけられたプライバシー** mandated privacy」もあることを指摘している。公の場で裸にならないとかセックスをしない、というのがこれに当たる。電車の中で化粧をすべきでないと主張する人は、素顔から化粧した顔への変化を見せないことを「義務づけられたプライバシー」と考えていることになる。それが習慣として身につくと、同時に権利になる可能性もある。

イスラムの女性にとって公の場でスカーフを着用することは、「義務づけられたプライバシー」であると同時に、裸を隠す権利と同じような意味を持っているかもしれない。つまり、世俗化された市民から見ると、プライヴェートな装いや身振りを公の場に持ち込む侵犯行為が、当事者にとっては、自らが身体化している「義務づけられたプライバシー」を守る行為であり、それを禁じられることは、公衆の面前で、胸とか局部を晒されるのと大差ない、プライバシーの侵害ということになるかもしれない——無論、そういう感覚を持たないで、単に共同体によって強いられた義務として仕方なくやっている人もいるだろう。

こういうのがまさに、ハーバマスが言うところの、世俗化された市民にとっても、自らの公共的理性の使用を拡張すべく努力しなければならない問題だろう。しかし、生まれた時からの習慣で身体化された感覚が関わる問題だけに、なかなか解決しそうにない。

プライバシーを定義するのはなぜ難しくなったのか

ここで、「プライバシー」の意味について確認しておこう。英語の〈privacy〉には、（他者の干渉を受けない）個人の生活あるいは私的生活という意味と、それに関する秘密という二重の意味がある。日本語の「プライバシー権」は、通常、後者に関する権利という意味しかないが、英語の〈right to privacy〉はそれだけでなく、私生活における自律の権利、日本語で「自己決定権」――他者に危害を与える恐れが低いゆえに、広範な自由が認められる行為領域での自由――と呼ばれているものも含む。

では、日本語で「プライバシー権」と呼ばれる、狭義の〈right of privacy〉の起源はどこにあるのか。それは後にアメリカの最高裁の判事になったルイス・ブランダイス（一八五六～一九四一）と、その同僚のサミュエル・ウォレン（一八五二～一九一〇）の二人の弁護士が『ハーヴァード・ロー・レヴュー』に執筆した論文「プライバシー権」（一八九〇）である。当時、新聞の普及と写真技術の発展によって、有名人の家族関係などの私生活に関することをゴシップ新聞がいろいろと暴き立てることが社会問題化していたが、英米のコモン・ロー（判例法）にはそれを違法とする明確な法理が存在しなかった。

二人は、名誉棄損や知的財産などに関連する分野で発展した法理を参照しながら、各人の身体だけでなく、知的・情緒的生活の安全をも保障することが、情報が簡単に拡散する社会に生きる現代人にとって重要であるとして、「一人で放っておいてもらう権利 right to be let alone」を主張する。その一環として、新聞や写真など、記録性・再現力に関する最新の技術を備えたメディアによって、私生活に関する事柄（プライバシー）が、公共の利益と関係なく面白半分で公表されることがないよう保護される権利として、「プライバシー権」を定義する。

当初はメディアで私生活に関わる情報が興味本位で拡散されることが念頭に置かれていたわけだが、その後、拡散されること自体よりも、そのやり方が公衆のミスリードを誘うようなものであることや、不当なやり方での情報収集に焦点が当てられるケースが出てきた。そこで法学者のウィリアム・プロッサー（一八九八〜一九七二）は論文「プライバシー」（一九六〇）で、プライバシーの侵害として、①隔離あるいは孤立した状態、もしくは私生活に侵入すること、②当惑させるような私的事実を公開すること、③公衆に誤解を与えるような形で公表すること、④その人の名前や肖像などを自らの利益のために流用すること——の四つの類型があることを指摘している。

①〜③は、「一人で放っておいてもらう権利」の範囲で理解できるが、④の場合、私生

活の実体と関係なく、個人を特定するような情報流出を問題にしているように思える。同じくアメリカの法学者であるアラン・ウェスティン（一九二九〜二〇一三）は、動物の習性からプライバシーの発展を論じた大著『プライバシーと自由』（一九六七）で、「プライバシー」を、「自らに関する情報がいつ、いかにして、どの範囲で他者に伝達されるかを自分で決める個人、集団、あるいは機関の請求（権）」と定義し、編著『自由な社会におけるデータバンク』（一九七三）で、それを現代社会において様々な領域で確立されつつあったデータバンクの管理の問題と関連づけた。この概念の拡張によって、住基ネットやマイナンバー、グーグルのアカウント情報やクレジットカードの登録情報、ＤＮＡ解析などをめぐる、現代社会でお馴染みになっている「個人情報」関連の諸問題が、「プライバシー権」の範疇《はんちゅう》に入ってくることになった。

　このことを社会哲学的にどう考えるべきか。生年月日や住所、預金口座・クレジットカード番号、職歴・病歴などの情報は、悪用されると被害を受ける恐れはあるが、ごく普通の一般人に関してこうした抽象的情報が流出したからといって、その人の（他者に対して隠しておきたい）私生活の実体が暴露されたとは言えない。私生活に影響があるとしても、経済的な損失や偽造された身分証を再発行する手間など、間接的・外的なものでしかないように思える。自己情報コントロール権という意味でのプライバシー権は、各人の身体・

生活感覚と密着した本来のプライバシー権とは異質な、所有権的な権利ではないのか。

しかし、一九九〇年代の後半以降、インターネットが私たちの生活に浸透することによって、そうとも言い切れなくなっている。ごく断片的な情報でも入手できれば、それを手掛かりに、その人が運営しているブログ、ツイッター、フェイスブック、インスタグラムなどから読み取れる情報と関係づけたり、パスワードによるロックを破ってPCやスマホに侵入するのに利用できたりするかもしれない。プロッサーやウェスティンが新しいプライバシー論を展開していた当時は、本人やその住居に物理的に接触・接近するか、権力を利用した通信傍受をやらない限り、私生活の秘密を詳細に知ることは不可能だった。現在では家や部屋という物理空間よりも、ネットというヴァーチャルな空間を中心に私生活を営んでいる人、ネットでの知り合いの方が親密圏だと考えている人が多い。そうした新たな私生活の実体は、ネットを操作する技術に習熟している人であれば、容易に把握することができる。

ブランダイスが論文を書いた時代には、有名人の情報でなければ、そのプライバシーに関心を持つ人はほとんどいなかったし、無名な一般人についての情報を、採算を無視してあえて掲載してくれる媒体もなかった。現在では、一般人でもソーシャルメディアで自己の存在をアピールしてそれなりに有名になることがあるし、そういう人が隠そうとしている個人情報なら、知りたいと思う人はそれなりにいる。性とか暴力に関する問題は特にそうだろう。そういう、〝ミニ公衆〟向けにネット上で情報拡散することはさほど難しくない。

ネットを介した他者との関わり方が多様化するのに伴って、人によって、隠したい情報／知られてもかまわない情報／公にしたい情報の区分のバラつきがかなり大きくなっている。相手が誰か、どういうコミュニティ向けかでも異なるので、「プライバシー」を一義的に定義するのが困難になっているのである。家族関係や自室の様子を暴露されることは大して気にしないが、ネット上でハンドルネームの下で親密圏を築いていて、それが実名と関係づけられることを気にする人もいる。

本人は様々な場面をうまく使い分けているつもりでも、情報の遮蔽《しゃへい》の方法に習熟していないと、隠しておくはずだったことが簡単に公に知られてしまうということが頻繁に生じる。そもそもいくら習熟しても、その方面の〝プロ〟がその気になれば、いつ侵入されてもおかしくないし、侵入されたかどうかさえすぐには分からないだろう。

社会からプライバシーが消滅する？

「プライバシー」に侵入されることは、知られたくないことを暴露されて、対外的な面目を失うリスクがあるだけでなく、監視され、コントロール化に置かれるリスクもある。フーコー（一九二六〜八四）は『監視と処罰』（一九七五：邦訳タイトル『監獄の誕生』）で、前近代の権力が公の場での処刑のような形で自らの力を見せびらかすことによって自己を維持していたのに対し、近代の権力は、ベンサムの「パノプティコン」の構想に象徴されるように、「見られることなく、見ることVoir sans être vu」を理想とするようになったことを指摘している。**いつ監視されているのか分からないような状態で、対象の行動を監視し、そういう危うい立場に置かれていることを意識させることができれば、大きなコストをかけずとも支配することが可能になる。**

ベンサムの時代には、監獄、工場、学校のような大きな建造物の中に対象を収容しないと、「見られることなく、見ること」は不可能だったが、現代においては通信傍受や盗聴、ＩＰ解析のような手段を使うことができる。オーウェルが『一九八四』で描いた、姿を見せない全知の独裁者「ビッグ・ブラザー」はそういう存在だ。「ビッグ・ブラザー」が常に見ているという意識が内面化され、各人の日々の行動に反映されるようになると、本当の「プライバシー」はなくなる。この小説の第三章で、主人公ウィンストンは、「プライバシーと愛と友情がまだあった時代」を回想している。

ウェスティンの『プライバシーと自由』は、盗聴・盗撮に利用できる機器、ポリグラフや心理テスト、データ技術など新しいテクノロジーの出現と、政府機関や企業がそれらを広範に利用するようになったことで、「ビッグ・ブラザー」が現実のものになるのではないか、という懸念がアメリカで広がりつつある、という問題意識の下に書かれている。新しい監視技術を制限するため、プライバシー権の拡張を核とする法整備が必要だというのが、彼の基本的な考え方だった。

先に述べたように、インターネットの普及によって、私生活の空間に侵入する強引な手段を取らないでも、ヴァーチャルな方面から、本人自身が部分的に公開している情報を手掛かりに、いろいろな情報を入手することができるようになった。無論、それらが本人にとって、どうしても隠しておきたい〝プライバシー〟に属するかどうかは別の問題だ。どうでもいい情報であれば、それを知られたからといって、内面的に支配されることはなさそうだが、フーコーがパノプティコンの囚人について指摘しているように、本人の知らないところで当人を評価・処遇するための情報が蓄積され、活用される可能性はある。中国では各人の社会的信用を点数化し、就職などの際に利用すること——第二章で見たブランダムの「スコア記録」論を、平板化・自動化した形で実現したパロディのように見える——が現実化しつつあり、ドイツの政治学者・中国研究者セバスティアン・ハイルマン(一九六五〜)は、それをデジタル・レーニン主義と呼んでいる。

日本の大学でも、学生の成績や面談での注意事項の記録、連絡先などの情報を、関係する教職員の間で共有する仕組みがあるし、多くの企業でそうした情報がかなりシステマティックに管理されているはずだ。個人情報保護関係の法制度を変えさえすれば、それらを統合することは技術的には可能だろう。

二〇二〇年以降、新型コロナウィルスの影響で、個人の経歴に関する情報だけでなく、一日の行動履歴や接触した人に関する情報も収集管理しようとする国が出てきており、それが「多くの人の命を守る」という功利主義的な見地から正当化されつつある。これが一般化し、防犯や事故防止など、様々な〝セキュリティ上の必要〟からそうした情報管理や監視がシステム化されていくと、他人に知られずにできる行動はほとんどなくなる。自分が心を許していない他人に「見られないこと」、あるいは「(パノプティコン的な意味で)見られているかもしれないと心配する必要がないこと」が「プライバシー」の本質だとすれば、社会から「プライバシー」が消滅する可能性もゼロではない。

リモート会議システムの普及は何をもたらすか

無論、管理・監視の技術が発達すれば、それをすり抜けて、「異なるプライバシー」を構築する技術も発達するだろう。ネットでのヴァーチャルな私生活がさらに拡大していくと、ＳＦでよくあるように、デジタル身体やアバターでの生活の方にリアリティを感じる人が増えるかもしれない。アバターであれば、髪型やタトゥーなどを含めて簡単に取り換えられるので、文化圏ごとの公／私の境界線の違いの問題は、クリアできそうだ。

各人が（リアルな身元はお互いに問わないで）〝ヴァーチャルなアイデンティティ〟だけで生活することのできる世界が出来上がるとすれば、その〝ヴァーチャルなアイデンティティ〟での活動が、リアルな世界での自分と関係づけられないこと、あるいは、そのヴァーチャルな世界の他の住民には知られない、〝ヴァーチャルなプライヴェートな活動〟の秘密が守られることが、そのヴァーチャルな人格にとっての「プライバシー」になるだろう。しかしそうなってくると、これまたＳＦでよくあるように、そこを支配しようとする、何らかの〝権力〟が生じてくるだろう。しかし、それはどういう〝権力〟だろうか。リアル空間の政治権力と重なるのか、それとは独立に作用するものか。

しかも、管理・監視技術は高度化するに伴って、人間の判断で操作する部分が減って、ＡＩが自動的に〝判断〟して監視、情報収集し、必要があればアーキテクチャに従って逸脱行動を抑制する、非人格的なものの割合が増大していくだろう。ＡＩを操作しているつもりの人も、実はＡＩの監視対象になっているかもしれない。そうなると、誰が誰をどういう意味で「支配」しているのか、しようとしているのか、実体が見えにくくなっていくだろう。

少し話をリアルな状況に戻そう。コロナ禍で他人とのリアルな接触が減り、ZoomやWebexでのリモート会議に置き換えられている。コロナ収束後も、学校での教育や会社での業務がヴァーチャル会合によるものに置き換えられる傾向はさらに促進されるのではないかと言われている。これについて、どう考えるべきだろうか。お互いの全身を見ないまま、場合によってはカメラなし、ミュートのまま会議に参加することも可能なので、公の場で他人と対面するのが億劫な人にとっては、意識を集中し、姿勢を正して公的行事に参加しないといけないという緊張感が下がり、プライヴェートな感覚を維持できるような感じがするかもしれない――姿勢を崩せるし、他の参加者から見えないところで、いろいろなことを内緒でできる。これは公共の場が、一部の参加者にとって部分的にプライヴェート化する傾向と見ることができる。

その一方、交通事情などで会合に参加できないという言い訳がしにくくなるし、会議の性格によっては、自分がどういう場所にいるか証明したり、実演したりする必要上、家や部屋の様子を見せねばならないこともある。ヘンに背景を変えたり、カメラをオフにしたりすると、「隠したいもの」があるのではないか、と疑われそうでかえって心配になる。会議に使うためのPCやスマホを支給され、その機器の状態が主催者に把握されている場合には特にそうだろう。その意味では、プライバシーは減少する。また、先生や同級生、同僚とリアルに会って相手のことを体感的に理解し、プライヴェートに親しい関係を築く機会が減るので、先ほど述べたのとは逆に、公的な場での緊張度が逆に高まる可能性もある。

いずれにしても、リモート会議システムの普及は、空間的に公／私を区分することが、従来ほど大きな意味を持たなくなりつつあること、および普段の生き方によってどういう状態でプライヴェートなくつろぎを感じるのかがあまりにも異なるので、**「プライバシーが保たれている」度合いを一義的に数値化するのが困難になっている**ことを象徴しているように思える。

〝公的空間〟のぎすぎすした現実を逃れようとする人たちが、プライバシーが保てる空間をヴァーチャル化しようとする傾向はすでに、プライヴェートな空間を舞台とする近代小説が書かれるようになった一八世紀半ば、ルソーの時代くらいから始まっていたのかもしれない。インターネットとともに増幅し、コロナ禍で加速しているように見えるこの傾向が、今後どうなっていくか本当のところ予想がつかない。

はっきりしているのは、現在我々が知っている「人間」は生身の身体を持ち、物理的な空間に存在し、生物学的な欲求を充足する必要があるので、私生活を完全にヴァーチャル化するのは不可能だということだ。アバターに自分の意識を全面的に移すことなどできない。したがって、リアルな空間を支配している権力の監視網から逃げ切ることはできない。しかし、ＡＩ技術が発達し、人間の身体や意識と直接接続できるようになり、映画『マトリックス』の世界に近づいていくと、話は違ってくるかもしれない。それが次章の話題である。

第四章　テクノロジーは「超人」を創るか

――ヒューマニズムvs.ポストヒューマニズム

「人間性」とは何だったのか？

古代ギリシアからポスト構造主義に至るまでの定番の哲学的な問いの一つに、「人間とは何か」というものがある。アリストテレス、ルソー、カント、マルクスにとっては、本気で取り組むべき問いであったが、現代ではそれほどの重みはない。多くの人は「人間とは何か」というのは生物学や認知学、人類学などの経験科学によって答えるべき問いであると考えている。哲学者、特に物理主義的な傾向の強い英米の分析哲学者たちも、まずは生物学などの最新の知見を把握したうえで……という、控えめなスタンスを取ることが多い。哲学単独で「人間とは何か」を考えても、机上の空論に終わりそうなイメージがあり、哲学者たちもそれを否定できなくなっているのだ。

では、昔の哲学者たちは、人間の本性、「**人間性** humanity」についてどのようなイメージを共有していたのだろうか。彼らは、哲学的な探究の果てに、どのような「人間性」の理想が見出せると予想していたのだろうか。哲学者ごとにいろいろ言い分があったはずであり、古代ギリシア以来の哲学的な「人間性」観の変遷をきちんと述べていこうとすると、かなりの大著になるはずだ。

しかし、文化史的に見ると、共通項を示せないわけではない。ドイツの哲学者ペーター・スローターダイク（一九四七〜）は『「人間園」の規則』（一九九九）で、**普遍的な「人間**

（性）」を信奉する「ヒューマニズム」は元々、西欧の一部の知識人たちの——書物によって媒介される——文化的活動の所産にすぎず、彼らの営みとともに終焉を迎える、という挑発的な議論をしている。「人間性」の原型は、古代ギリシア・ローマの知識人たちが作り出した、市民が身につけるべき理想であり、それが様々な変形を受けて現代に至るまで継承されてきたものであって、それ以上の根拠はない、というのである。

　無論、理想像としての「人間性」が継承されてきたことには、それなりの理由がある。「人間性」が一定の機能を担っていたのである。ヒトという生き物を飼いならす（＝文明化する）という役割だ。刹那的な欲望に支配され、無秩序に振る舞いがちなヒトに、「人間」という状態に到達すべく、自己を形成することが自分の生の目的だと思い込ませることができれば、管理がしやすくなる。

　スローターダイクは、〈humanity〉の語源である、ラテン語の〈humanitas〉に注意を向ける。キケロ（前一〇六～前四三）らはこの言葉を「市民」として身につけておくべき嗜み、現代の「教養」のような意味で使っている。前章で確認したように、この場合の「市民」とは市民権を持った家長のことである。弁論家であるキケロの場合が典型的だが、古代ギリシア・ローマの知識人たち、あるいは彼らの影響を受けた市民たちにとって、市民として他者（他の市民）から尊敬を受けるうえで最も重要な資質は、公の場で言葉を駆使して他者を説得し合意形成する能力、アーレントが「活動 action」、ハーバマスが「コミュニケーション的行為 kommunikatives Handeln」と呼んだものを遂行する能力だ。

言語によって他者を説得するには、正しく言葉を使う技術（文法）、論理を正しく組み立てる技術（論理学）、聴衆の属性や心理を読んで一番効果的な言葉を選ぶ技術（修辞学）、身ぶりや表情によって相手の心を動かす技術（詩学の一分野としての演劇論）などが必要になる。こうした技術の習得に集中してくれれば、彼らは力を背景に相手を支配する暴力傾向から遠ざけられ、社会の秩序は保たれる。スローターダイクに言わせれば、プラトン（前四二七頃〜前三四七）が『国家』や『法律家』で探究したのは、「人間性」の理想の名の下に、野蛮なヒトにそうした技法を身につけさせる過程における、躾《しつけ》の方法論だった。

こうした市民＝人間を育成するための〈humanitas〉の技法は、ローマ帝国の末期に自由七科（文法、修辞学、論理学、算術、幾何、天文学、音楽）と呼ばれるものを中心に体系化されていった——自由七科とは、（奴隷ではない）自由人に相応しい七科ということである。中心にあったのは、言語を磨く技法である。これが現代の大学で「教養科目」と呼ばれるものの原型になった。人文系の諸科学を〈humanities〉というのは、〈humanitas〉に関連する学問だからである。ルネサンスの指導理念である「人文主義 umanismo（humanism）」とは、人間が原罪を負った罪人であることが強調されたキリスト教的中世においては、自由に読むことができなかった〈humanitas〉に関連する文献をもう一度読み直し、市民的文化として復権させることだった。ルネサンスのことを「文芸復興」と呼ぶのはそこから来ている。

その意味で、一部の知識人のための〈humanitas〉は限定的な概念であった。それが、大航海時代における西欧世界の外に向かっての拡大、それまで因習によって眠らされてきた民衆の理性の覚醒を目指す啓蒙主義運動や、全ての人の平等を前提とする民主主義の進展などの影響で、いつの間にか万人に共通の「人間性」を想定し、それに基づく人間愛を説く近代的な「ヒューマニズム」が生まれ変わった。

ただ、その場合の、普遍的で尊重すべき「人間性」とは何かというと、生物学的にヒトとして生まれたという以外に、明確なものはない。ヒトとして生まれたことそれ自体に価値があるのはなぜか、ということになると、哲学者の間でも、人間には理性があるから、愛があるから、自由であるから、労働するから……など、様々な見方があって、全くまとまらない。同じヒトという生き物なのでヒトに共感するのは仕方ない、他に根拠などないということで開き直るという手もあるが、それだと同族であるヒトよりもペットや家畜、ロボットを大事にするヒト、自分以外はどうでもいいヒトがいることは説明がつかない。あるいは、そういうヒトが生まれてくるのは、生物学的・社会学的事実なので仕方ない、哲学も道徳も本当のところ根拠などない、という元も子もない話にしかならない。

ヒューマニズムの限界

スローターダイクの〝答え〟もある意味、元も子もない。ポリスの市民から全てのヒトへと適用対象が大幅に拡大しても、「人間性」の理念が、かつての啓蒙主義的な知識人によって作り出され、エクリチュール（書かれたもの＋書く行為）によって複写・拡散され続ける、という基本的事実に変わりはない。**エクリチュールの中にしか「人間性」はない。**

このように言うと、突拍子もない話をしているように聞こえるが、言われてみると、たしかに全てのヒトに備わっている何らかの特別な資質Xがある時覚醒し始めて、みんなが「ヒトとして生まれたことそれ自体に価値がある」と信じるようになったわけではない。西欧の権威ある知識人たちが作り出した「人間性」の理念が、かなり薄まった形で政治家や宣教師、社会改革者、法律家、教育者などに受容され、エクリチュール（活字）を通じていろいろな所に流通しているうちに、いつの間にかみんなが「人間性」を信じるのが当たり前であるかのようになっているのである。確かに、大航海時代には普遍性のなかった「人間性」の理念が、急に説得力を持つきっかけになった決定的な出来事や現象を見出すことは困難である。たとえ全人類におよぶ変化が徐々に進行したとしても、その痕跡は、

（芸術作品やドキュメンタリー映像なども含めた）広い意味でのヒューマニズム的なエクリチュールの中にしか見出せない。

　他方で、そのようにして「人間性」の適用対象が拡大したことにはやはり無理があった。古代の〈humanitas〉のエクリチュールの想定読者は、〈humanitas〉を身につけることが期待され、かつ、実際にそれを読むことができる程度の教養をすでに身につけていた市民である。しかし、現代では、全てのヒトとして生まれた人たちが、ヒューマニズムのエクリチュールを自分で読んで理解できる教養を持っているわけではない。文字を読めない人、そもそも言語を操れない人もいる。異なった「人間性」の理念が競合しているのを見ても（そう聞かされても）、どれに説得力があるか、論理的に判断できる人などほとんどいない――哲学者でさえ、世界の他の哲学者たちが「人間性」についてどんなことを言っているか把握しきれていない。

　近代初期には、抑圧的な古い権威が崩壊し、全ての人が十分な教育を受け、理性を働かせるようになり、世界の人がお互いの文化をよく知れば、「人間性」についての共通理解が生まれるのではないか、と希望することができたかもしれないが、現代では、そのような楽観的な見方をする知識人はほとんどいない。むしろ、知識のグローバル化に伴って、「人間性」のイメージは核になりそうなものを失い、どんどん曖昧になっている。

インターネットはその傾向を加速している。古代においては、〈humanitas〉を身につけるには、プラトン、アリストテレス、キケロのような優れた知識人に弟子入りしなければならず、中世の大学では、大知識人の講義を受講しなければならなかった。あるいは、ルネサンス以降は啓蒙的知識人の書いたものを熱心に読んで、その抽象的な理念を理解すべく努力しなければならなかったが、現代では、ネットで「人間性」というキーワードを検索して「お気に入り」に入れておくだけで、「分かった」ことにできる。スローターダイクは、インターネット時代に、ヒューマニズムの伝道者であった啓蒙知識人たちがいよいよお役御免になることを示唆している。「人間性」を拡散しすぎたせいかもしれない。

人間性とコミュニケーション能力

「人間性」と、活字文化のおかげで影響力を発揮してきた啓蒙知識人たちの役割を強く結びつけるスローターダイクの挑発的な問題設定は、半ば本気だが、アイロニカルな誇張を含んでいる。誰に対する皮肉かと言うと、コミュニケーション能力を「人間性」の本質と見るハーバマスらに対する皮肉である。

第一章、第二章で見たように、アーレント、ロールズ、ハーバマス、ブランダムなど、現代の有力な政治・社会哲学者たちは、言語によるコミュニケーションを理論の中心に据えてきた。自由、平等、公平、徳、功績、名誉、効率性、潜在能力、連帯など、道徳の基準になる諸価値の定義と順位づけについて、誰もが納得する理論を構築するのは難しいが、「話し合い」が大事だということを否定する人はあまりいない。特定の価値を最重視すべきと主張する哲学者であればバカにされても、話し合いのためのルール作りに哲学者が貢献することまで無意味だと考える人はさほど多くなさそうだ。

端的に言うと、「人間は、話し合いによって理解し合おうとする存在だ」という言い方は、耳当たりがいい。「人間は理性的な動物だ」という理性中心主義的な言い方よりソフトだし、（あまり知的と思えない人も含めて）多くのヒトに当てはまりそうだ。「人間の本質は労働である」より押しつけがましくないし、「人間の本質は愛だ」のような、情調的・宗教的な響きも少ない。

また、二〇世紀後半以降、英米の分析哲学を中心に、対象を認識する人間の能力よりも、真理や情動を表現する文の構造や用法など、言語の分析に重きを置く「**言語論的転回**」と呼ばれるトレンドがある。人間は直接的に対象を認識するだけでなく、言語を介して対象を把握している部分が多く、そのことによって人間の思考自体が規定されているので、私たちの認識の仕組みを解明するには、言語に注目せざるを得ない。さらに言えば、自分自身の内面で進行していることを分析しようとすると、どうしてもバイアスがかかってしまうが、言語には慣習的に確立された規則があるので、客観的に分析できる。そうしたことがこの転回の背景にある。コミュニケーション能力重視の政治・社会哲学は、言語重視へと転回した認識哲学と相性がいい。

ハーバマスらは、全てのヒトに備わっているはずの言語運用能力に基づいて論を立てており、「人間性」はコミュニケーション能力にあるという前提に立っていると見ることができる。それに対してスローターダイクは、コミュニケーション能力を基礎とする「人間性」は、古代の知識人が生み出したヒトの操縦術に過ぎず、それがヒトの本性に根ざしているかのように言うのは、「人間性」を普及させて、近代知識人の権威を保つための虚構にすぎないのではないか、と示唆しているのである。

ハーバマスの社会理論や分析哲学の言語行為理論に親しんでいる哲学者たちからすれば、これらの理論は、心理学、人類学、社会学、言語学などによる実証的な裏づけのあるものであり、それを理論の担い手の問題に矮小《わいしょう》化して、文学的レトリックで茶化すのはふざけすぎていて、知的誠実さに欠けるということになろう。実際、ドイツではそういう視点からスローターダイクを批判する進歩的知識人が多かった。

少し後でまた触れるが、一九八〇年代以降のドイツ語圏では、「人間」という概念が歴史的な虚構であることを示唆するフーコーの議論や、私たちが自発的な言語行為だと思っているものが「エクリチュール」によって規定されているとするデリダの議論など、「人間」とそのコミュニケーション能力を相対化する、フランスのポストモダン思想への反発が強かった。「人間性」を普遍化・強化してきた啓蒙の成果を後退させるように見えたのである。スローターダイクは、デリダやフーコーに直接依拠しているわけではなく、どちらかと言うとドイツ文学・思想でお馴染みのアイロニーを効かせる文体を特徴としているが、ポストモダン派の別動隊と見られていたふしがある。

　ただ、ハーバマスの理論が経験科学を裏づけにしていたとしても、コミュニケーション能力を前提に、熟議民主主義の有効性や普遍的正義に向けての進歩を証明しようとする、グランド・セオリー的な構えに無理があると感じていた哲学者たちも少なくなかったようである。普通の人にそうした壮大な理論の骨子を理解し、現実の力関係や利害にとらわれないコミュニケーション実践をすることを求めるのは、ハードルが高すぎないか？　ハーバマスの後継者とされるホーネット（一九四九〜）が、コミュニケーションそのものではなく、（コミュニケーションの主体として振る舞うことができるための、前提条件としての）人格の相互承認に焦点を移しているのも、他者との相互理解を目指してコミュニケーションする人間という、〈humanitas〉的な発想に限界を感じていたからかもしれない——ホーネットの承認論については、『現代哲学の最前線』の第二章を参照。

「人間」の終焉

「人間性」の本質を、言語によるコミュニケーションに置く理論は、人々のアイデンティティや価値観が多様化する現代社会に合っているように見えるが、その一方で、人間らしく生きるためにコミュニケーション能力を高めることを要求するところがあるので、かえって「人間性」に関する疑問を浮上させる。古代に誕生した〈humanitas〉の理想を無理に、万人に適用しようとしているのではないか？

「人間」という理念が歴史的なものだということを示唆する議論は、ポストモダン系の思想の中心的なテーマになっている。ポストモダンの先駆とされるニーチェ（一八四四～一九〇〇）は、キリスト教的な諸価値によって生き方を規定され、生の目的を与えられてきた――キリスト教的に変形された〈humanitas〉の産物である――「人間」は、神を殺してしまったことで自分の存在根拠を抹消してしまったとして、「人間」の終焉を宣言した。それとともに、自らの生きる目的となる価値を自ら作り出すことのできる「超人」の到来を予言した。ニーチェの「超人 Übermensch」は、常識的には、現在の「人間」像（＝humanitas）に代わる、ヒトが同化すべき新たな理想のことだと解されるが、字義通り、新しい生命形態だと取る人たちもいる――ナチスは「超人」を、人間の進化の最先端に位置するアーリア人のことだと考え、人種主義や優生思想を正当化するためにニーチェを利用した。

現代思想により直接的な影響を与えたのは、ロシア生まれのフランスの哲学者で、新しいヘーゲル解釈を呈示したアレクサンドル・コジェーヴ（一九〇二〜六八）の「**人間の終焉**」論だろう。『ヘーゲル読解入門』（一九四七）でコジェーヴは、闘争を通じて発展してきた人間の歴史は、人々が希少な自然資源のために労働し、他者と争わねばならない状態から解放され、「自由の王国」へと移行することをもって終焉するという有名な――後に、それを自由民主主義の勝利と読み換えたフランシス・フクヤマ（一九五二〜）の論文「歴史の終焉？」（一九八九）で再び注目されることになる――「歴史の終焉」テーゼを示している。「歴史の終焉」は、生存手段の欠乏状態から離脱すべく絶えず自己を変化させ、生き残りのために文化を築いてきた「人間」が終焉することを含意している。

その第二版（一九六八）に新たに付け足した注では、「歴史の終焉」後、人間が「動物」として生き続ける可能性を示唆している。それは、自己形成（教養）という目的をなくし、動物のように生物的な欲求を満たすだけの状態である。人間は、それまでのように芸術や愛や遊びを営むだろうが、そこにはもはや「歴史」の過程に見られた、自由への自己完成という目的はない。歴史の中の人間は、「言説（Discours）＝ロゴス」によって、自己や世界の本質を探究しようとしてきたが、「歴史の終焉」以降の人間にとっての「言説」にはそうした本来の意味での知的役割はなくなり、動物が互いに交換する信号と同じようなものになる、という。

そうしたポスト歴史の再動物化するヒトのモデルとして、コジェーヴは、消費生活を思う存分享受するアメリカ的な生活様式（American way of life）と、西欧的・ヘーゲル的な意味での精神性や言説抜きで、様々な作法からなる様式美に徹する日本的なスノビズムの二つを挙げている。東浩紀はこの示唆に刺激を受けて、『動物化するポストモダン』（二〇〇一）で、自己形成のために様々な立場の人とコミュニケーションしようとする姿勢を放棄しているという意味で「動物化」していながら、仲間内では一定のコミュニケーション様式を保つオタクの生き方を肯定的に紹介している。

ヘーゲルの歴史哲学は、個々の人間の自己形成（Bildung）の在り方とそれに対応した法、経済、道徳、宗教などの文化的形成物（Bildung）が相互作用しながら発展していくメカニズムを描き出すことを目指したものであり、〈humanitas〉の歴史的な拡張過程の記述と見ることができる——ドイツ語の〈Bildung〉は、ラテン語の〈humanitas〉の訳語として用いられ、「教養」あるいは「（自己）形成」などの意味を持つ。コジェーヴや東の議論は、その過程の最終的帰結のネガティヴな側面を強調するものだと言える。

こうした、（自己形成を指導する理念としての）〈humanitas〉の終焉をめぐる世界史的な議論に対し、フーコーは一九世紀に登場した、科学的な「人間」概念に焦点を絞り、その終焉を予見している。『言葉と物』（一九六六）で、心理学、社会学、政治学、法学、医学など、近代社会をコントロールするために用いられている諸科学が、「人間」という中心的な概念を共有し、それを基礎に構成されていることを指摘する。その「人間」は、一八世紀末から一九世紀の初めにかけて、労働する主体としての人間を前提とする経済学、自らの視点から世界を切り取り、言語体系によって再構成する主体としての人間を前提とする言語学、各種器官の機能的統合体として人間を見る生物学、という三つの知の重なり合いによって生まれてきた。

　統一された「人間」像は、各人が同化すべきモデルを示し、逸脱する者を矯正して、社会を管理するうえで便利だった。しかし二〇世紀に、言語学や経済学などの範疇では捉えられない無意識の領域を探査する精神分析や、西欧的な「人間」とは異なるヒトの在り方を探究する文化人類学の台頭に象徴される知の地平の大きな変動が起こったことによって、「人間」はその役割を終えつつある、という。

　フーコーと相互に影響を与え合ったドゥルーズ（一九二五～九五）とガタリ（一九三〇～九二）は、『アンチ・オイディプス』（一九七二）や『千のプラトー』（一九八〇）などの著作で、精神分析や文化人類学の新たな知見を基に、西欧近代人が、正常（normal）と思ってきた

「人間」の自己形成は、ヒトにとって決して自然ではなく、資本主義的生産過程に適合するように構成された虚構であって、ヒトにはジェンダーやセクシュアリティの面でも、集団と個の関係という面でも、他の動物との違いという面でも様々な可能性があること、「人間」にならなくてもいいことを示唆している――拙著『ドゥルーズ＋ガタリ〈アンチ・オイディプス〉入門講義』（作品社）などを参照。

「超人」を作る技術とリベラルな優生学

ポストモダン系の思想は、「人間」になることと、生物学的にヒトとして生まれることがイコールではなく、イコールと考えることが必ずしも望ましいわけではない、と強調する。これは、ジェンダーや民族、宗教などをめぐるアイデンティティ・ポリティクスの極限の事例であり、また広い意味での政治哲学の問題であり、ヒトの実体とはあまり関係ない。しかし、スローターダイクは『「人間園」の規則』で、〈humanitas〉の達人たちがお役御免になる、より積極的な論拠として、遺伝子操作技術によって理想的なヒトを作ることが可能になったことを挙げている。

スローターダイクはあまり具体的なことは言っていないが、彼が当該論文を書く三年前の一九九六年にはクローン羊が誕生し、九八年のヒトと牛のハイブリッド・クローン胚が作成され、各国でヒト・クローンをめぐる倫理的・法的議論が活発になっていた。そういう時期に、〈humanitas〉に代わる社会統制術として、理想的なヒトの育成の可能性について語れば、ナチスの優生学を連想させ、批判を受ける。スローターダイクはわざとそういう挑発をしたと思われる。

二〇世紀末には、ヒトのクローン作成や遺伝子操作に対して否定的な見解が優勢だったが、二一世紀に入ると、ポジティヴな優生学を提唱する論者が登場してくる。かつての優生学は、擬似科学的な妄想に基づいて〝劣等な人種〟や同性愛者、精神障碍《しょうがい》者などの絶滅を目指すものだったが、現代の生殖医療の技術を用いれば、子供の将来を考えて両親の選択肢を増やすことが可能である、というのである。彼らの立場は「**リベラルな優生学** liberal eugenics」と呼ばれる。七〇年代末に体外受精が、九〇年代には着床前遺伝子診断が可能になり、遺伝子を念頭に置いた選抜はすでに行われていた。それと遺伝子そのものを操作することのどこが決定的に違うのか。優れた資質を持つ子孫を残すために生殖技術を用いることは自己決定権に属することではないのか。

ニュージーランドの倫理学者ニコラス・エイガー（一九六五〜）は、『リベラル優生学――人間拡張の擁護』（二〇〇四）などの著作で、これから親になる人には、子供がどういう特質を持てば幸福になれるかを考え、利用可能な生殖技術を用いる権利があると主張する。これまで避妊や不妊などの生殖関連で様々な技術が用いられ、多くの人が自分から見て優れた遺伝子を子供が持つために相手を選択してきたが、それらの技術や努力と遺伝子操作の間に絶対的な違いはないことを示唆する。

英国の生命倫理学者ジョン・ハリス（一九四五〜）は、論文「遺伝子治療は優生学か？」（一九九三）で、子供の疾病を治療し、障碍で苦しむことがないよう努力をすることが親の義務だとすれば、遺伝子治療がそれに有効なら忌避する理由はないと主張する。そのうえで、病気にかかりにくい健康な体質を作ることが治療の一環だとすれば、それを積極的なエンハンスメント（増強）と区別するはっきりした境界線はないのではないかとして、後者も正当化する論を展開している――リベラル優生学について詳しくは、桜井徹『リベラル優生主義と正義』（ナカニシヤ出版、二〇〇七）を参照。

ハーバマスは『人間の将来とバイオエシックス』（二〇〇一）で、両親が自分の設定した目的に合うように子供の遺伝子を操作することは、他者の人格を手段ではなく、目的それ自体として扱わねばならない、というカントの定言命法の第二定式――道徳行為の目的に関する定式――に反していると指摘する。それがいったん正当化され、一般化されると、他人を道具のようにプログラム化することが当たり前になり、他者を対等なコミュニケーション相手と見なすことができなくなる。リベラル優生学は、リベラルを名乗っているが、たとえ我が子であったとしても他者の生き方をあらかじめ規定しようとするのは、各人が自分の人生計画を立ててそれを追求できるべき、という自由主義の大原則に反する、というのである。

フランシス・フクヤマは、『私たちのポスト・ヒューマンな未来』（二〇〇二、邦訳タイトル『人間の終わり』）で、理性、言語、道徳的選択（moral choice）、幅広い感情（broad emotional gamut）など、「人間性」を構成すると考えられてきた複雑さが、遺伝子工学によって、痛みの軽減と喜びの増大というような、功利主義的に単純化された少数の要素に還元され、それらが政治の唯一の目的になることに懸念を表明する。そうなると、複雑な「人間本性 human nature」観に依拠していた、人間の諸権利が掘り崩される恐れがあるからだ。特に、正常な大人のヒトと同等な能力を持っていないと判定される可能性がある子供、末期患者、衰弱している高齢者、障碍者、犯罪者の権利が従来以上に危うくなる、という。

サンデルは『完全な人間を目指さなくてもよい理由』（二〇〇七）で、同じようにリベラル優生学に批判的な態度を取りながら、人間の道具化という論点では、（すでに誕生して、自律した生活を送っていると認められる）個人が自分のために遺伝子エンハンスメント技術によって筋肉や記憶力の増強、身長アップなどを行うことへの抑止にはならないことを指摘している。また、エイガーらのリベラル優生主義者もすでに指摘しているように、遺伝子が生まれた子供の人生の方向性を全面的に決定しているわけではなく、育つ環境の影響も大きく、その環境に両親や社会はすでに介入しているが、その介入が前倒しになることがどうして決定的に問題なのかという疑問も生じる。

　サンデルはリバタリアンの代表的な政治哲学者ノージック（一九三八〜二〇〇二）が『アナーキー・国家・ユートピア』（一九七四）の注の一つで、親の注文に従って子供の性質を決めることのできる「遺伝子のスーパーマーケット genetic supermarket」を提唱していることや、リベラルな平等論の代表的な法哲学者ロナルド・ドウォーキン（一九三一〜二〇一三）が『至高の徳』（二〇〇〇、邦訳タイトル『平等とは何か』）に収めた論文「神を演じる：遺伝子、クローン、運」で、人類はこれまで自然の偶然性を縮小し、選択の余地を拡大してきたのだから、各人にとっての公正な利用という条件が守られるなら、遺伝子工学だけを例外扱いする必然性はないと容認する姿勢を見せていることに注意を向ける。サンデルに言わせれば、自律や平等、公正等——個の違いを際立たせるもの——を「人間性」を構成する最も重要な要因と見る自由主義の倫理では、遺伝子エンハンスメントを批判しきれない。

　それに代わって、自らの生は与えられた(gifted)ものだという感覚こそ、「人間性

humanity」の最も本質的な要素であることをサンデルは示唆する。有利な才能を持っている人も、それが神のような不可視の存在によって与えられたものであり、自分だけの力で成功を収めているわけではなく、これからどんな運命が待っているか分からないと自覚することで謙虚になり、与えられたものを他者と分かち合おうとする姿勢を持つことになる。自分で自分を作ることができるという考え方は、成功も失敗も自己責任だという考え方に繋がり、連帯を掘り崩してしまう、という。

自己進化とサイボーグ

サンデルはある意味最後の手段として、あからさまに宗教的な共同体感覚に訴えているわけだが、それとは対照的に、リベラル優生学派の中には、**進化の論理に依拠してエンハンスメントを正当化する**論者もいる。米国の生物学者リー・シルヴァー（一九五二〜）は『エデンを作り変える』（一九九八、邦訳タイトル『複製されるヒト』）で、遺伝子操作技術を利用してこれまで自分たちの支配者であった遺伝子を逆に支配するようになることは、（ヒトにも備わっている、これまで進化の過程を導いてきた）利己的な遺伝子——生物進化学者リチャード・ドーキンス（一九四一〜）のキーワードで、あらゆる手段を使って自己の複製を作らせようとする遺伝子の〝利己〟性を強調する表現——の本性に適っているではないか、と示唆する。論文「生殖遺伝学――生殖技術と遺伝学の技術はいかに合体して、人々の生殖目標を達成する新たな機会を提供するか」（二〇〇〇）では、現代において優れた知性を持っている多くの人が子孫を残そうとしないので、自然淘汰による進化で知性が増大するのは困難になっているが、その代わり、遺伝子操作技術による**自己進化**（self-evolution）が可能になったと主張している。生物物理学者で起業家のグレゴリー・ストックも、『それでもヒトは人体を改造する』（二〇〇二）などで、将来の人間の進化は自らが生み出した技術と密接に結びつくようになるだろうと予測し、「**自発的進化** self-directed evolution」と呼んでいる。

技術によって人間の基本的性質を改造して、新たな生き物にすること、文字通りの「超人」創造を、「進化」の新たなステージとして目指すのであれば、それはもはや「人間」の改良ではないだろう。さらに言えば、人為的な「進化」の手段として、遺伝子操作だけでなく、人体強化装置によるサイボーグ化、果ては機械との融合といったことすら考えられる。

フェミニズム理論家で科学史家でもあるダナ・ハラウェイ（一九四四〜）は、『猿と女とサイボーグ』（一九九一）で、自己／他者、心／体、文化／自然、男性／女性、公／私といった、西欧を支配してきた二項対立を超えていく思考戦略として、これらの二項対立のいずれの側にも収まらない、「**サイボーグ**」に注目すべきと主張している。私たちの身体は、人類史の最初から純粋に自然なものであったことはなく、文化的な慣習に従って矯正・変形を受けてきたし、様々な道具や機械、制度などの人工物と一体になって機能している。現代では、生体の欠損部や機能不全を補う電子機器を直接体に埋め込むことがすでに行われており、遺伝子操作などによって、性別まで含めて身体の生物学的属性を変えたりすることも可能になりつつある。そういう意味で私たちはすでに「サイボーグ」であり、「サイボーグ」であることの自覚を強めることで、従来の西欧的な発想だと二項対立の硬直状態に陥らざるを得ない諸問題——第三章で触れた公／私や、多重のアイデンティティをめぐる問題もそれらの中に含まれる——からの出口が見えてくることを、ハラウェイは示唆している。

　ハラウェイはあまり具体例を挙げていないので、私なりに補って考えてみよう。例えば、身体を生殖に関係する部分まで機械化することが可能であれば、男性・女性・トランスジェンダーといった従来の区別は相対化していくだろう。脳の中枢（に当たる部分）による身体の他の部位に対するコントロールの度合いを調整できれば、自分の意図的な行為の帰結に対する責任をめぐる、従来の法的議論は変更を余儀なくされるだろう。臓器のかなりの部分が機械、あるいは、ｉＰＳ細胞によって人為的に作成されたものになれば、傷害と器物損壊の区別が曖昧になり、臓器移植・売買、売春、臨床試験などについて従来の倫理はそのままでは通用しなくなる。手足の延長と見なせる役割を果たす機器や、インターネットを介して他者の身体と接続すれば、自／他の境界線ははっきりしなくなる。SFアニメ『攻殻機動隊』（一九九五）などのように、インターネット空間にまで「サイボーグ」的な身体が拡がり、（ヴァーチャル、あるいは実装化した）アバターのようなものまで「サイボーグ」の一部と見なせるのであれば、プライヴェートな領域の範囲もはっきりしなくなるだろう。

　無論、それらの技術が全く現実化しなかったら、ただの妄想で終わってしまうだろう。しかし、先に述べた意味で、私たちはすでに広い意味で「サイボーグ」的な身体になっており、科学技術の発展が続く限り、その度合いは高まっていくと思われる。それゆえハラウェイの議論が、変えようのない現実に見えていたものが、かつてはそうではなかったし、未来には大きく変わる可能性があることを見すえ、硬直した二項対立を解きほぐしていく助けにはなるだろう。ハラウェイらの、ポストモダン系フェミニズムの「サイボーグ」論は、「サイボーグ」をキーワードにそうした変革の可能性を想像するよう促していると思われる。

人間がAIと融合するように進化する？——トランスヒューマニズム

ハラウェイの議論は、人間の身体をどこまでサイボーグ化すべきか、それによって私たちの意識はどうなるのか、社会はどうなるのかを体系的に論じるものではなく、メタファーとしての「サイボーグ」に留まっていた。だが、その後のAI研究と生体工学の急速な進展で、「サイボーグ」は現実味を帯びつつある。SFに見られるような、遺伝子レベルで完全にデザインされた身体、あるいは、半分以上機械化された身体で生きることが実際に可能になった場合、それを現実化することは道徳的に許容されるのか。さらに言えば、どこまでの改造であれば、「まだ人間」と言えるのか？

出発点が「人間」である存在は、どこまで改造しても人間である、と考える人が多そうだ。だが、遺伝子操作による〝進化〟によって、人間に似ているが、明らかに見かけが違う新しい種が生まれたら、「彼ら」も人間として扱うべきか、あるいは、そうした扱いをすることがそもそも可能なのか——この意味での「どこまでが人間（と同等）か」問題は、次章でまた扱う。現在では完全にSFの話だが、人間の「心」をAIの中に移行することが可能になったとして、それはまだ「人間」ということになるのだろうか。

後者、「**マインドアップローディング**」の可能性は、「**シンギュラリティ**（技術的特異点）singularity」とセットで論じられることが多い。「シンギュラリティ」とは、現在は人間の与えた指示に従って様々な演算を行っているＡＩが、自律的に自らの作業の目的を設定できるようになり、それに伴って――人間の預かり知らないところで――〝自己〟自身を改良して独自の進化を遂げるようになると予測される時点である。

米国のＳＦ作家でコンピューター科学者でもあるヴァーナー・ヴィンジ（一九四四〜）は一九八〇年代以降、作品内でこの問題をテーマ化している。また論文「来たるべき技術的シンギュラリティ」（一九九三）では、ＡＩ研究の動向を踏まえて、シンギュラリティは実際にやって来るのか、それはどのような形を取るのか、いくつかのシナリオを示したうえで、シンギュラリティが実際に到来すれば、地球の歴史は人類中心（ヒューマン）の時代からポスト・ヒューマンの時代に移行する可能性が高いが、その場合、人類あるいはそれに相当する存在はＡＩにどう扱われるだろうか、という疑問を提起している。

米国の発明家で、未来学者のレイ・カーツワイル（一九四八〜）は、『シンギュラリティは近い』（二〇〇五、邦訳タイトル『ポスト・ヒューマン誕生』）などで、これまでのテクノロジーの進化の速度・加速度を踏まえて、二〇四五年には、現在人間固有とされている人間の知的能力をコンピューターが再現することが可能になり、（壁にも家具にも衣服にも脳の中にも、至るところに存在するコンピューターと繋がった）人間の非生物的知能（nonbiological intelligence）が優勢になるだろうと予見している。

サールは論文「心と脳とプログラム」（一九八〇）で、単に情報処理するだけの「弱いＡＩ」と、人間と同じ意味で、物語を理解することのできる「強いＡＩ」を区別して、後者は不可能であると主張した。だがカーツワイルに言わせれば、八〇年代にはＡＩ研究は行き詰まり、冬の時代に入っていたが、その後、確率論を取り入れて複雑な問題を処理する技術の開発が進み、九〇年代末には、卓球をする、チェスの名人と対戦する、株式銘柄を選定する、心電図に基づいて診断する、ジャズの即興演奏をすることなども可能になった。人間の脳の機能を再構成するリバースエンジニアリングも進んでいるので、人間と同じような言語能力を持ち、チューリング・テストをパスする「強いＡＩ」が登場することを確実視している――「強いＡＩ／弱いＡＩ」及び、チューリング・テストについては、『現代哲学の最前線』の第四章を参照。

　自分の行動の目的を決めることのできる「強いＡＩ」が登場すれば、不要になった人間が処分されるのではないか、というＳＦでよくある恐怖のシナリオが思い浮かぶ。だがカーツワイルは、**「人間」もＡＩと融合するように進化していく**、という〝ポジティヴ〟なシナリオを前面に出している。まず四肢、消化器官、心臓、血液を、より機能的で非生物的なものに置き換え、脳内にセンサーを入れて脳機能を補う「人体ｖｅｒ．２・０」に移行し、次に脳の大半も非生物的なものに置き換え、体の構造や動き全体が生物としての人間のそれとは構造的に異なる「人体ｖｅｒ．３・０」へと進んでいく。「人体ｖｅｒ．３・０」は、自分の体の形を自在に変化させることができる。最終的には脳をスキャンしてアップロードし、ネットの中で半永久的に生き続けることになる。

「心」のアップロードという発想は、私たちに様々な素朴な疑問を抱かせる。アップロードされた〝私〟は、当然、生物的身体の中にある私よりも、はるかに速い速度で情報処理し、はるかに多くの情報を〝記憶〟する（＝〝自分〟用のデータベースに蓄積する）、あるいは人類に属する他のメンバーと共有することになる。そうなると当然、〝意識〟の状態は変化するだろうし、自／他の区別も曖昧になるだろう。

私たちは、自分たちの思考の速度が現在の千分の一くらいになる状態を想像できない。はっきり想像できないが、自己意識を持った人間として存在している状態ではなく、植物に近い状態のように思えてしまう。では、逆に千倍の速度になったらどうか。また、ネットの中にいる〝私〟が、新たな情報を自分のものとして自分用のデータベースに入れる、というのはどういう感覚か。単に、現在の私たちがネット検索で得た情報を個人用ＰＣに保存しているのと同じように、利用していい情報が増えたというだけのことなのか、それとも、何か賢くなったような〝実感〟を伴うのか。カーツワイルはこうした問題の所在を示唆しているが、はっきりした答えは示していない。

こうした予想は未だＳＦじみているが、これが実現することを待望し、それに備えて自分の身体に機械を埋め込んだり、その時が来るまで遺体を冷凍保存したり、シンギュラリティ対応の政治体制を築こうとしたりする、**トランスヒューマニスト**と呼ばれる人たちがいる――こうした運動について詳しくは、マーク・オコネル『トランスヒューマニズム』（二〇一七）を参照。無論、人間かどうか分からないものが生まれてくるかもしれない、想像を超えた未来に対して不安を抱く人も少なくないので、カーツワイルらは、悪しきＡＩの暴走を止めるための具体策を示すなどして、その不安を取り除くことに力を入れている。

スウェーデン出身の英国の哲学者ニック・ボストロム（一九七三～）は、論文「ヒト遺伝子エンハンスメント：トランスヒューマニストの視点から」（二〇〇三）で、エンハンスメントに反対する人たちは、誤った方向のエンハンスメントを選択してしまったら、もはや取り返しがつかないと言いたがるが、取り返しがつかなくなるとどうして言えるのか、と逆に問い返す。エンハンスメント技術が様々な方向に発展すれば、各人の選択肢は増える。たとえ多くの人が不幸な結果に至る選択をしてしまっても、選択肢があればあるほど、それを将来の世代が是正できる可能性は次第に増えるはずだ。ＳＦのディストピアは、選択肢がないがゆえに生じるのではないか。また、難病に対して獲得した免疫であれば、取り返しがつかない方がいいではないか。エンハンスメントによって各人の寿命が延びれば、みんなで様々な可能性について落ち着いて考え、賢い選択ができるはずだ。

このように、リバタリアン的な視点からトランスヒューマニズムを推奨することもできるが、やはり従来の意味で「人間」でなくなっていくことについては、リベラル優生主義者の中にも強い反対論がある。「人間」であればこその〝自由〟ではないのか？ エイガーは『人間性の終焉』（二〇一〇）や『真に人間的なエンハンスメント』（二〇一四）で、千年も生きられ、従来の医療的措置を必要としない〝体〟になるとか、生殖を経ないで自己増殖する〝体〟になる、マインドアップロードでＡＩと一体になる、情緒も含めて思考をＡＩによってコントロールするとかいったラディカル・エンハンスメントに対して、「人間性」を解体するものとして強く反対する。

トランスヒューマニズムから見えてくる「哲学」的な問題

トランスヒューマニストたちが想像する未来像は、哲学が古代から取り組んできた根源的な問いを、科学技術と結びついた具体的な形で改めて提起する。先に述べた、**何を基準にして「人間」と見なすか**が、その第一の問いだ。生物学的属性か、それとも脳内で進行しているプロセスか――脳とは独立に存在する「心」あるいは「精神」だという考え方もあるが、トランスヒューマニストも、人類学者や文化人類学者などの実証的な人間研究のプロも、「心の哲学」の研究者の大半もこの見方は取らないので、ここでは除外しよう。

前者であれば、境界線がどこにあるかは別にして、サイボーグ化がある程度進んだ時点で、「人間ではない」ことになるだろう。トランスヒューマニストは、恐らく、後者の見方をしていると考えられる。ネットにアップロードするデータが、「私」という人間と無関係なものであれば、そもそもアップロードする意味がないからである。ただ、アップロードした後に、〝存在〟している〝私〟が、依然として「人間」であるのか、それとも新しい種なのかについては意見が分かれるだろう。カーツワイルは、依然として「人間」だと考えているようである。

ただ、記憶（データ）の容量も処理速度も、現在の人間を遥かに超えてしまうのだから、すでに述べたように、それは以前と同じ「私」なのか、という疑問が浮上するし、仮に、それだけエンハンスされた存在が、以前と同じ「私という人間」であるとすると、「人間」の本質とは何か、という問いが浮上する。

カーツワイルは、私たちの身体を構成する物質はニューロンを含めて、絶えず交換されており、私たちは辛うじて「物質とエネルギーのパターン pattern of matter and energy」として存在しているにすぎないとしたうえで、ソフトウェアとしての人間もまた「パターン」として存続し、発展し、ゆっくり変わっていくだろう、と言っている。無論、ソフトウェアに置き換えるに際して、情報処理の効率を上げ、かつ自己複製・拡張の過程でエラーが起きないよう、脳内の「パターン」に変更を加えているはずなので、脳内と全く同じパターンということではないだろう。脳内の情報処理の「パターン」のどの部分が「人間」に固有の特徴なのか。

さらに根源的な問いがある。ヴィンジは、マインドアップローディングによって、人間が超人類（superhumanity）へと移行した場合、そもそも**「存在being」とは何かが問題になる**、と指摘している。徹底した物理主義の「心の哲学」のように、存在するのは脳だけであり、意識は脳内の出来事の連鎖だとすれば、アップロード後の脳を処分した時点で、〝私たち〟はもはや存在しないことになる。カーツワイルの言うように、「パターン」として存在しているとすれば、アップロードをまたいで存在し続けるということになりそうだが、物質的な境界線はなく、情報処理が一定のパターンで繰り返されるだけだから、どういう速度で、どういう範囲の情報処理が行われていれば、そのパターンが「存在」していることになるのか、厳密に定義しないと、存在しているかどうかが曖昧になる。

存在者の同一性をめぐる問題もある。ネットにコピーされた私と、身体を持っていた私は同一の存在なのか。英国の哲学者デレク・パーフィット（一九四二～二〇一七）は『理由と人格』（一九八四）で、「私」を構成している粒子のパターンを遥か彼方に転送して再構成し、オリジナルを破棄する転送装置が発明された際の問題を提起している。ある時誤って、オリジナルな私が残ってしまった場合、「私」は二人いることになるのか、それともそれぞれが別の存在者なのか、という問題である。これは脳のアップロードにより、〝リアル〟に当てはまりそうな状況設定だ。アップロードされた瞬間、肉の身体に残っている「私」は、アップロードされたパターンとして存在する「私」を、自分と感じられるのか。両者の間に同じパターン、あるいは一定の記憶（データ）のストックが見られるという以上の共通性があるのか。または、それは（新旧の）「私」ではなく、第三者の視点から客観的に決めるべきことなのか。

宇宙論あるいは世界論的な問題もある。カーツワイルによると、いったん全面的にネットの中で生きることになれば、私たちは生物学的人体の物理的限界を超えて、太陽系外へ〝移住〟することも可能になる。何らかの探査装置のようなものをある惑星に送り込んで情報収集し、その惑星と同じ状態を完全に再現できれば、私たちはそこに〝住む〟ことができる。〝寿命〟のことはあまり気にしなくてもいいので、何千年、何万年かかってもかまわない。最終的には、宇宙全体に〝私たち〟が広がっていき、物理の法則をも変更するかもしれない。

科学が新たな救世主になる

このように、〝私たち〟が宇宙全体に広がっていく、あるいは宇宙と一体化し、宇宙の全てを把握するというのは、まさにヘーゲルの「絶対精神 der absolute Geist」の自己展開の最終地点としての「**絶対知** das absolute Wissen」の状態のように思える。この状態に到達した場合、パターンとしての「私」たちはそのまま存在し続けるのか、それとも、一つの大きなパターンとしての「私」に統合されているのか。あるいは、その両方が併存している状態なのか。

仮に何らかの形で、〝私たち〟が一つの大きな「私」へ統合された場合、その〝私〟と、認識、あるいは働きかけの対象となる宇宙(世界)とは、どういう関係になるのか。それは、「私＝絶対精神」は自分とは異なるもの、自己の外部にあるものとしての宇宙(世界)と対峙することになるのか。それとも、今生物学的な人間として生きている「私」が自分の身体を観察し、働きかけるのと同じような関係なのか。それとも、宇宙自体が管理可能な情報の集積と化しているので、「私」が心の中で自分を客観化して反省するのと同じような関係なのか。

これらはヘーゲルの「絶対精神」解釈、あるいはヘーゲルの発想に刺激を与えたとされるスピノザ(一六三二〜七七)の「汎神《はんしん》論」解釈をめぐって延々と議論され続けた論点だが、ＡＩ技術が絡んでくることで、技術的にある程度具体的にイメージすることが可能になった。あるいは、そうせざるを得なくなったとも言える。いずれにしても、トランスヒューマニストの壮大なヴィジョンは突き詰めていくと、宗教的な宇宙論の様相を呈してくる。

　科学者とも神秘主義の活動家ともつかぬ多くのトランスヒューマニストに取材したジャーナリストのマーク・オコネル（一九七九〜）は、『トランスヒューマニズム』で、この運動の根底に、「死」を乗り越えて永遠の生命を得ようとする宗教的なモチーフが働いていることを繰り返し指摘している。**科学が新しい救世主の役割を果たしている**わけである。フランスの情報科学者で哲学者でもあるジャン＝ガブリエル・ガナシア（一九五五〜）は『虚妄のＡＩ神話』（二〇一七）で、そうした運動の根底に、偽りの神が支配する現世を離脱し、隠された真の神の世界に入ろうとするグノーシス的なモチーフを見ており、その観点から彼らの「シンギュラリティ」観を批判的に検討している。トランスヒューマニストたちが、ＡＩ科学や認知科学の最新の知見によって、形而上学の領域に立ち入ろうとしているのは間違いない。

第五章　動物やＡＩにも権利はあるか

――非人間の倫理

シンギュラリティが生む新たな問題

「シンギュラリティ」は、ヒトならざるものの〝権利〟の問題を含んでいる。人間と同じように自己の存在する目的を設定し、その実現のために自発的に活動し続けるＡＩが誕生したら、そのＡＩに対して『スター・ウォーズ』の世界のように、人間と同じ、あるいはそれに準ずる権利を認めるべきか。アップロードされ、ネットの中に生きるようになった人間の場合はどうか。

ごく素朴に考えると、後者の方が、もともと人間であっただけに人権的なものを認めやすいように思える。しかし、それはアップロード前後の〝私〟が同一だと認めることができる場合の話である。先に述べたように、この基準を設定するのはかなり難しい。

オリジナルとコピーの間に、自己意識あるいは自己同一性感覚の共有のようなものがあればはっきりするだろうが、それを第三者が本当の意味で確認することはできない――他人に自己意識があるかどうかは、外的な観察から推測するしかない。オリジナルがコピーを第二の自分だと申告する制度を設ければ、問題は法的に解決できそうだが、そうすると、生き残ったオリジナルが後で気が変わったり、オリジナルが重態になっていて真意を確認するのが難しくなっていたり、何らかの特殊な価値観に基づいて本人とあまり似ていないコピーを自己として認定したりする――人形や動物を相続人にするのと同じような感じで

——といったことが起こるかもしれない。

それほど精巧なコピーでなくても、本人や身内などの意向に沿っていて、何となく元の人間の思考パターンに似ていればいいということにするのであれば、下手をするとビデオ映像のデータとか本人の動きを模写した（現在すでに使われているようなレベルの）アバターのようなものまで権利の主体になってしまう。そうなったら、何に潜在的な権利があるのかが分からなくなるし、無限に増殖する権利〝主体〟・〝準主体〟間の利害調整や法的問題の処理がものすごく大変になるだろう——そのためのスーパーＡＩによるアーキテクチャが生まれてくるかもしれないが。

人間のオリジナルがない、純粋なＡＩの方がより難しい問題を提起する。人間は年を取ったり、大きなダメージを負うと、精神機能が低下したり、キャラクターが大きく変わるが、一度人間として認定されると、死ぬまで人間である。それとのアナロジーで、「元が人間」でありさえすれば、多少人間らしさを失ったパターンになっても、人間的な存在として尊重されやすそうだが、純粋なＡＩの場合はそうはいかないだろう。ピノキオが人間になるために越えないといけない道徳的ハードルが、現に人間であるダメな人たちの現状をはるかに上回るものになるのと同系統の問題が生じそうである。

人間らしく道徳的・自律的に振る舞っているＡＩがただの器物で、何も考えず好き勝手なことをやって、周囲に迷惑ばかりかけている人間が権利主体として尊重される、というＳＦでよく見かける設定が現実化したら、多くの〝人〟は理不尽だと感じるだろう。**「人間とは何か」という問いが、単なる哲学的思考実験ではなく、政治哲学的な意味を持つことになる。**何らかの意味で「人間」認定されることが、権利主体となる大前提なのか。それとも、人間でなくても一定の条件を満たせば、権利主体と認めてもいいのか。

前者の場合、では、ｉＰＳ細胞から生まれたクローンや遺伝子的に純粋なヒトではないキマイラはどうするのか、という関連する疑問が生じてくる。受精卵を起源とし、人間の母胎から生まれてくる生物であれば、ほぼ自然に「人間」として認定される。（オリジナルのない）ＡＩのように、特別な「人間」認定手続きは、少なくとも私たちが知っている現在の世界では必要ない。しかし、人間生殖細胞の受精を直接の起源としているのではない、クローンやキマイラ（ヒトと動物との交雑から生まれたもの）はそれから微妙に外れているように思える。

クローンに権利を認めない難しさ

カズオ・イシグロ（一九五四〜）の小説で、日本でもドラマ化された『わたしを離さないで』（二〇〇五）や、ユアン・マクレガー主演の映画『アイランド』（二〇〇五）などでは、オリジナルなどへの臓器移植、臓器のスペア確保の目的で誕生したクローンが人間扱いされない近未来が描かれているが、実際にクローン人間が誕生し、成長した場合、私たちと同じ生物学的属性を持ち、同じように振る舞う存在を「人間」から除外することは、大多数の人の道徳的直観に反するだろう。特に女性の子宮から出産された場合、体外受精や代理母などから生まれた子供と形のうえでは同じなので、「人間」としての法的権利を認めないのは困難だろう。

各国のクローン規制法で禁止されているのは、ヒト・クローン胚やヒト動物交雑胚（キマイラ）を胎内に移植することだが、逆に言うと、それが禁止されているのは人間の母胎で育って出産に至った存在の「人間」性を否定するのが困難だからだとも考えられる。かといって、どうせ「人間」として生まれるのだからということで、どれだけ（各種の遺伝子操作を加えた）「クローン」を生み出してもいいということにすると、ハーバマスやフクヤマが懸念するように、自分の趣味で好き勝手に「人間」を生産する輩が大量に現われ、生まれた後のケア——同じ人物の（一部遺伝子操作された）コピーとして次々に生まれてくる子供たちの基本的な人権保護のための措置と実態調査や、差別・偏見から守り、プライバシーを保障するための包括的措置、その健康状態の長期にわたる観察など——について国家や自治体が広範な責任を負わざるを得ないことになりそうなので、クローンが誕生してしまった場合の対処の仕方はオープンにしたまま、母胎への移植を当面禁止するということにせざるを得ないだろう。

人工子宮が発明されれば、状況は多少複雑になる。人工子宮で育ったものは人間ではなく、自分の所有物なので、好き勝手に処分できるはずだ、と主張する人が出てくるかもしれないからだ。だがその時点で、多数の人が、胚の発生の仕方やそれが最初に育った場所よりも、生物学的に人間であることの方が重要だと考えれば、人工子宮を母胎と同等と見なすはずだ。

イスラエルの生命倫理学者カーメル・シャレフ（一九五四〜）は論文「ヒト・クローンと人権」（二〇〇二）で、クローン作製は人間の尊厳に反するという一般的に流布している見解を批判的に検討し、クローンとして生まれた個人は双子みたいなもので、人間度が低いなどということはないと明言する。彼女は、生殖にクローン技術を用いることによって得られる利益と、現在のクローン技術の物理的・心理的危険性から予想される不利益を比較考量すれば、現時点では生殖クローンの禁止は正当化されるとしながらも、それと別次元の問題として、「合法的であれ非合法的であれ、クローニングの結果生まれてくるあらゆる子供に、人間として認められ、差別されることなく全ての人権を享受する資格があることは、極めて明白であるはずだ」と主張している。

エイガーは『完全な複製』（二〇〇二）で、治療型クローニング——次の節でまた触れる——については多少疑問を呈しながらも、生殖型クローニングに関しては、生殖のやり方の選択肢の一つとして擁護し、クローン技術によって形成されるかもしれない新たな形の家族が自由に幸福追求できるよう、ＳＦの影響で社会に蔓延《まんえん》しているディストピア的偏見を除去していく必要があることを示唆している。

果たしてどこまでが「人間」なのか

オリジナルと同じ遺伝子を持って、人間の母親のそれであれ人工的なものであれ、子宮から生まれてくるクローンが、法的に「人間」と認められることにはさほど困難はないと思われるが、判断が微妙になってくるのは、人間の遺伝子が組み込まれたキマイラや、臓器移植のためのスペアとして〝育てられる〟生殖型クローンだろう。

「人間」と見なされるのであれば、臓器移植のためのスペアにするためだけに育てるのは許容されないだろう。ただ、成長した後、本人の〝同意〟の下でオリジナルやその親族に臓器移植するのを容認すべきかをめぐっては、本人に対するプレッシャーや、オリジナル側の当初の意図などを考えないといけないので、「インフォームド・コンセント informed concent（ＩＣ）」の特殊ケースのような微妙な問題になると考えられる。実験動物として生み出すのは論外だろう。逆に言うと、「人間」でなければ、そうした問題は生じない。動物の尊厳や権利を認める立場に立てば、問題なしではないだろうが、「動物」と見なされるクローンやキマイラについては、後で動物倫理について考察する際、併せて考えよう。

では、「人間」と認めないのはどういう場合だろう。私たちが知っている「人間」に「似ている」かがカギになりそうだ。人間の遺伝子だけから成るクローンの場合、どこまで育っているか、という問題だ。ここまで育てば「人間」だというステージを越えれば、一方的に実験や臓器移植に利用するわけにはいかなくなるだろう。

これは、人工妊娠中絶や不妊治療で生じる余剰胚の扱いに準じた問題になるだろう。受精卵はすでに「人間」であるので、中絶や研究利用は許されないとしたら、ヒトの成人へと成長する可能性を持ったクローン胚も同じ扱いを受けるべき、ということになりそうだ。それに対して出産するまで胚は胚であって、「人間」ではないという立場や、子宮の外に出ても生存可能になった時点で「人間」として認められるという立場もあるが、クローンにもそれと同じ基準を当てはめることができるだろう。

サンデルは先に触れた『完全な人間を目指さなくてもよい理由』で、遺伝子操作によるエンハンスメントには反対しながら、難病の遺伝子治療の研究のために、クローン胚を使ったものを含めた胚性幹細胞を利用することには反対していない。その議論の文脈で、受精したばかりの胚と、出産直後の乳児の間のどこかに、「人間」の境界線があることになるが、それを一義的に決めることはできないし、無理に決めても意味がない、という立場を取っている。

彼はこれを、論理構造的に見て古代ギリシアのメガラ学派のエウブリデスに由来する、「砂山のパラドクス」に類する問題だとしている。砂山とはどれだけ砂粒が集まった状態を言うのか。一つの砂粒にもう一粒付け足しても、砂山ではない。もう一粒増やしてもそうだろう。しかし、もう一粒、もう一粒……と足していくと、どこかでただの砂粒の塊と、砂山の境界線を超えるはずだが、どの一粒で超えたことになるのか決めることはできない。同じように、細胞分裂を繰り返し、器官が形を整えるにつれて、胚はどこかで「人間」になるはずだが、はっきりした境界線を決めることはできない。

そのうえで、彼は次のように結論づける。ヒト胚はそのまま育っていけば、どこかの時点で人間になる潜在的人間だが、まだ人間ではない。潜在的な人間である以上、軽い気持ちで破壊してはならず、尊厳をもって扱わねばならないが、人格を備えた「人間」そのものではないので、人間と全く同じ道徳的地位は与えられない。胚をめぐる倫理的論争に関わる人は、「人格」は目的それ自体として尊重しなければならないが、「人格」でないものは「道具」なので好きなように扱ってよいという、カント的な二元論に陥っているのではないかとして、柔軟な見方をするように促している。そういうわけで、サンデルは「胚」と人間の間に絶対的な境界線を引くことの不可能性を示唆しているが、どういう手順でその都度の扱いを決めたらいいかについては明言を避けている。

胚が次第に成人の人間に似てくるのであれば、胚に関する生物学・認知科学的知見や当該社会の生命観・人間観に即して、どこに線を引くかその都度議論して決めることになるだろうが、そうでない場合、つまり育っても成人の大人にならないと分かっている場合はどうなるか。エイガーは、オリジナルの成人とほぼ同じ姿をし、適度の運動能力を持っているが、早い段階で大脳皮質の活動が停止しているクローンを生み出すことができるとして、彼(女)を臓器提供用に使用することは許されるだろうか、という疑問を投げかけている。

この問いかけは、「(大人の)人間」に「似ている」という時の「似ている」が、一義的に決められないことを示している。①外見か、②生命体としての全体的機能か、③「人格」と呼べるような機能――そもそも「人格」とはどういうものかという問題があるが、これは後でまた触れる――を潜在的に有していることか、それとも④「人格」としての機能を現に有していることか?

①と②は通常は不可分の関係にあると考えられているが、ホラー・ファンタジーと混じったSFにあるように、見かけだけは「人間」だが、生態が全く人間と異なる生き物や、DNA構造は人間と同じだが、外見は未知のモンスターのように見える存在が生まれる可能性があるとすれば、①と②のどちらを重視するか、という問題が生じる。④の場合、大脳皮質が停止し続けていれば、「人間」ではないということになるが、③の場合、成長した後で大脳皮質を再始動させることが可能な状態にあれば、「人間」ということになるだろう。

いずれを基準にするにしても、「通常の人間」とは明らかに異なる見かけや機能を有するとしても、「人間」と見なすべきだということになれば、一方的に道具として扱い、生命を奪ったり、苦しみを与えたりすることはできない。そうしたことは論外としても、そもそも大脳皮質の活動を停止させるとか、通常の人間と全く異なった外見を呈する存在へと育つようあらかじめ操作するといったことは、人生において差別されたり不利になる原因を作ることになるので、許されないということになるだろう。

キマイラについては、先ほどの四つに加えて、遺伝子的にヒトと一致している割合も、一つの基準になるだろう。ヒトの人格に相当するものを現にあるいは潜在的に備えていることを基準にすれば、哲学的なSFで出てくる、人間と同じように思考する能力を備えた、鼠《ねずみ》や山羊《やぎ》のような外見の存在も「人間」ということになる。この場合も、差別の原因になるような遺伝子改造はそもそも許されないということになりそうだが、他の動物の遺伝子を持つことによって能力が増すことが明らかな場合、判断が微妙になってくる。

さらに言えば、現に他の動物との交雑胚から生まれた人が「人間」として成長し、生殖能力も持っている場合、彼（女）の誕生自体が誤りだった、ということにしていいのか、という問題が生じてくる。「人間」と認めた以上、同じ遺伝子を持った仲間同士で、あるいは通常のヒト遺伝子を持った人と結婚して、子孫を残すことは妨げられないだろう。本人（たち）が〝仲間〟が欲しいと言ったら、さらに同種の遺伝子を持った子供たちを生み出すべきなのか。

そのようにして、ヒトと別の生物の遺伝子を一定の割合で併せ持つ「人間」が複数誕生し、市民権を得るようになれば、その動物も従来と同じ扱いでいいのか、という問題が生じるかもしれない。彼らの遺伝子の元になった生物を差別することは、彼らを差別することにならないか、という主張が拡がると、それらの生物に対する見方も違ってくるだろう——元になった生物が、キマイラ胚に占める遺伝子の割合によっては、「人間」と無関係ということになる可能性もある。しかし、遺伝子繋がりで他の生物にも部分的権利、あるいはそれに準じたものを認めるとなると、ヒトを中心に構成される「人間」というカテゴリーの生き物を権利の主体として想定すること自体どうなのか、ということになりそうだ。そこまで来ると、反動で、やはりSFでよくあるような、純粋人間主義者によるキマイラ（＋ＡＩ人間）排斥・差別運動が生じてきそうだ。当然それに対抗して、ＡＩも含めて全ての人格的存在の権利を擁護する運動が生じてくるだろう。

馬や犬は赤ん坊よりも合理的か――「動物」の権利

応用倫理学に動物倫理学という分野がある。医療・看護・生命倫理、ビジネス倫理、工業倫理、研究倫理、スポーツ倫理、戦争倫理など、他の応用倫理の諸分野のほとんどが、人間である当事者にとっての幸福や権利、利益の配分の公正を問題にするのに対し、動物倫理と環境倫理の一部は、人間以外のものの権利や幸福の実現を目指しているのが目立った特徴である。応用倫理学の研究者が、研究対象にしている分野での社会的論争・紛争で特定の立場に個人的にコミットして活動しているとは限らないが、これらの分野の研究者は、活動家・実践家の割合が高い。動物倫理学の研究者の多くはヴィーガンやヴェジタリアンで、動物解放のための運動に参加している人も少なくない。後述する「ディープ・エコロジー」の立場を取る研究者には、環境破壊に反対する活動や、環境にやさしい生き方を推進する運動に加わっている人が少なくない。

環境倫理学の場合、人間の幸福追求の基礎、あるいは様々な社会活動をするための潜在能力（capability）の一部を構成するものとしての環境、持続的成長や世代間正義のように、人間のための環境管理を軸にした問題の立て方があって、それに、生物の種ごと、生態系、土地、地球などの権利や幸福を想定し、それを守ろうとする立場が対立するという構図になっているが、動物倫理学の場合、人間の利益のために動物の適正利用を図るような議論はあまり見られず、主要な論者のほとんどは、動物本位に考え、人間に対する動物の権利を代理しようとする。

しかも、動物倫理の擁護者たちは、動物の権利を植物や胚、種や生態、未来に生まれる動物の細胞を持っているかもしれない「人間」、ＡＩなどにまで——少なくとも積極的には——拡張しようとしない。また、功利主義の立場から動物倫理を研究・推奨する人たちもいるが、［条件Ａの下でこれから生まれてくるであろう動物の数×一個体当たりの予想される幸福の量Ｐ］を計算するような形で、畜産、飼育、狩猟などの是非を論じることもあまりない。あくまで、現に生きている個々の動物の幸福と権利を軸に考える。加えて、昆虫や魚介類、無脊椎動物などよりも、類人猿や牛、豚、犬、猫、鶏など、知能が高く、人間に身近な動物を優先しているようである。こうした傾向は、**動物権利論者たちが「人間」と共通する、あるいは類似した特性を持っていて、権利主体と見なしやすい「動物」**

に主眼を置いていることを示唆している。

　動物の権利論の先駆者とされるのはベンサムである。彼はその主著『道徳および立法の諸原理序説』（一七八九）の十七章の注で、当時英国で社会問題化していた動物虐待に言及している。過去において奴隷を異なる動物と見なして過酷な扱いをすることが正当化されていたのと同じような理屈で、異なる種に属するというだけで動物たちに対する残虐な扱いが正当化されている現状を問題視している。人間については当時、肌の色の違いを理由に気まぐれで苦しめていいはずがないことが認識されつつあったが、同じように、感覚を備えた存在（a sensitive being）に対して脚の数や尾の有無を根拠にそうした扱いをすべきではないことが認識される時代が来るかもしれない、との希望を表明している。

　彼は、成長した馬や犬が、生まれたばかりの赤ん坊よりも合理的であると指摘しているが、動物が苦しめられない「権利」を持つべき根拠として、「理性を働かせる reason」ことではなく、「苦痛を感じる suffer」ことを挙げている。これは、快楽と苦痛の量を、道徳と立法の原理にすべきだという「功利主義」の考え方に合致しているように見える。ただ、これはあくまで動物虐待に限った話である。動物を食べることや、人間に害を与える動物を殺すことは正当化している。動物は自分が将来どうなるか想像して苦しむことはないし、人間の手で殺害される場合の方が、自然に死ぬ場合よりもスピーディーにことが進むので苦しむこともほとんどないというのが、彼の挙げている根拠である。

　その後、英国で「畜獣の残虐で不当な扱いを防止する法律」（一八二二）の制定に尽力したアイルランド出身の政治家リチャード・マーティン（一七五四～一八三四）や、「あらゆる生き物には自らの身体を使用する権利があり、それは他者によるその身体の使用に優先する」という前提に立って、ヴィーガニズムと毛皮、羊毛、牙などあらゆる動物由来の製品の廃止を推奨した英国の発明家ルイス・ゴンペルツ（一七八四頃～一八六一）、動物にははっきりした「個性 individuality」があり、自らの生を生きる資格があるという見地から、「動物の権利」を文字通りの意味での権利として基礎づけ、英国での狩猟廃止運動を推進した社会改革運動家のヘンリー・ソルト（一八五一～一九三九）など、ベンサムよりも徹底して動物の権利を擁護する論者が現われた――動物権利論の歴史的流れについては、田上孝一『はじめての動物倫理学』（集英社新書）などを参照。

　応用倫理学の一つの領域として動物倫理学が確立されるのは、ピーター・シンガー（一九四六～）が『動物の解放』（一九七五）を著して以降だとされる。功利主義の立場を取るシンガーは、先ほどのベンサムの著書の注を引き合いに出しながら、「苦しんだり、幸福を享受したりする能力 the capacity for suffering and/or enjoyment of happiness」が「平等な配慮を受ける権利 the right to equal consideration」の基礎であるという前提に立ち、そういう能力を持っている存在を、**異なる「種」に属するという理由でその権利を否定することは正当化されない**と主張する。彼に言わせれば、「種」によって差別する「種差別speciesism」は、女性差別や人種差別と同様の、看過できない深刻な問題だ。

彼は、種差別に反対する根拠を理論的に提示しただけではない。霊長類を対象とする電気ショックによる心理実験や、化粧品や食品着色料などの毒性を試す実験など、高度な感覚を備えた動物を無駄に苦しめる動物実験や、豚や鶏を生涯にわたって狭い空間に押し込め、一切運動させないまま太らせる工場畜産などの実態を具体的に描写する。そのうえで、種差別の不当性と動物の権利を本当に認めるのであれば、食習慣を変えて、ヴェジタリアンになるしかないと主張する。彼はみんながヴェジタリアンになることが、動物の権利を尊重するうえで決定的な意味を持つことに加え、人間自身にとっても、健康の観点や食物生産のためのエネルギー効率、環境破壊防止などの観点から好ましいことを力説している――初版では環境破壊の問題はさほど強調されていないが、第二版（一九九〇）以降ではこの側面の記述をかなり補強している。

動物と人間に共通するものとは

シンガーはその後、『実践の倫理』（一九九三）や『生と死の倫理』（一九九四）で、自らの功利主義を、「**選好功利主義** preference utilitarianism」だと特定したうえで、動物の権利の問題、特に生死をめぐる問題を、中絶や尊厳死などの人間の生死をめぐる問題と接続する形で、種を越えた「生存権 right to life」論を展開している。「選好功利主義」というのは、幸福／不幸を、心理学的あるいは生理学的な快苦のような科学的に客観化された指標によって判断するのではなく、当人あるいは当の個体が好むことがどれだけ充足されているかで測るべきだという立場である。例えば、飲酒で健康が悪化すると分かっていても、飲酒することを本人が選ぶのであれば、飲まなかった場合よりも飲んだ場合の方がより幸福だと考えるわけである。

　人間であれば、ほとんどの人は言語で自分の選好を表明することができるので、それをカウントすればよさそうだが、動物の場合はどうなるのか。彼らは人間と同じような言葉を発することはないが、知能の発達した動物の中には自分の置かれている状況を把握し、ひどい苦痛が与えられそうな状況に遭遇すると、強く抵抗するものもいる。彼らの態度から、彼らの選好を読み取ることができる。

　シンガーは、理性的で自己意識がある存在(a rational and self-conscious being)であることを「人格 person」の定義にする。シンガーは、**一部の動物にはこの意味での「人格」があり、人間と同様に権利を尊重されるべき**だと主張する。ただし、彼は知能の高さそれ自体を問題にしているのではない。「人格」があれば、将来において自分の命が奪われることを知ると、不安になり、充実した生活を送ることができなくなり、多大な苦痛を負うことになる。そこがポイントだ。

逆に言えば、この意味での「人格」を持たない動物は、各個体が絶対的な生存権を持っているわけではないということになる。ある個体を殺したとしても、それと引き換えに同数以上の個体が誕生し、それぞれが生涯を通じてオリジナルな個体と同じ水準の幸福を享受できるのが確実であれば、これから生まれてくる同族のためにある個体を殺害することは正当化されるかもしれない。

また胎児や新生児、植物状態や脳死状態の人にも「人格」が備わっていない。その前提で彼は、胎児の中絶や重度の障碍を持って生まれてきた（ため、人生で幸福を享受できる可能性が極めて低い）新生児の殺害、自分の死を理解できなくなっている人に対する非自発的安楽死（nonvoluntary euthanasia）は、（条件つきではあるが）正当化されるとしている——自発的安楽死（voluntary euthanasia）は、自分の将来を想像できる「人格」の判断によるので尊重されるべきであり、反自発的安楽死（involuntary euthanasia）の場合は、「人格」を保持しているはずの人があえて意志を表明していないということなので、原則認められない。

こうしたシンガーの主張は、「人間の尊厳」を絶対視する人からすれば、部分的に動物と人間の道徳的地位を逆転させ、人間の価値を相対化しているように見えるし、特に障碍を理由にした新生児殺害を認めることがナチスの優生思想を連想させることから、反差別運動団体などから激しい反発を受けた。動物の権利の陣営内でも、シンガーが功利主義を基礎にしていることに対する批判もある。

アメリカの哲学者トム・リーガン（一九三八〜二〇一七）は『動物の権利の擁護』（一九八三）で、ヴェジタリアニズムや狩猟反対、野生動物保護など、動物の福祉（welfare）の向上を目指す運動で、功利主義を基礎にした場合と、各個体の権利を重視する権利論を基礎にした場合で、その帰結がどう異なってくるか考察を加えている。

前者の場合、動物を食肉用として工場で飼育することによって人間の側が得られる効用の総量が、動物の苦痛のそれを上回れば、工場飼育は正当化されてしまう。そのうえ、自分ひとりがヴェジタリアンになることで、社会全体の効用のバランスが変わる可能性はほとんどないから、肉食の人が得ている幸福が、動物たちの苦痛を大きく上回っているのが現状だとすれば、現に肉食の人に対してヴェジタリアニズムを実践するよう義務づけることができる積極的根拠はないことになる。それではヴェジタリアニズムはなかなか浸透せず、動物たちの苦痛は終わらない。一部の人に対する残虐な扱いを正当化しかねない功利主義を権利論で批判するというのは、功利主義をめぐる現代倫理学・政治哲学の定番の図式だが、リーガンはそれを動物にも拡大適用しているわけである。

『動物の権利を擁護する』（二〇〇一）では、『動物の解放』でのヴェジタリアニズムをめぐるシンガーの議論が、将来の帰結の予測を根拠にしているため、同じ事実から全く逆の結論も導き出せてしまうことを指摘する。そのうえで改めて、個性を持った存在を、何かを実現するための道具としてではなく、目的それ自体、つまり自分と対等の権利の保持者として扱う、という視点が必要であると主張する。彼は、カントが動物を人格的な存在として扱っていないのを承知のうえで、他者の人格を道具としてではなく、目的それ自体として扱うべきというカントの定言命法の第二定式を動物にも拡張すべき、という拡張カント主義的な権利論を掲げている。

『動物の権利論、人間の不正』（二〇〇三）では、シンガーの選択功利主義の弱点を指摘している。たとえシンガーの言うように、自らの未来に対するはっきりした選好を有する個々の個体が、新たに生まれてくる他の個体に置き換え可能ではない (irreplaceable) としても、それでその個体を殺すことが不正になるわけではない。その個体を殺すことで他の生き物の選好が充足され、その総計が当該個体の選好の未充足によるマイナスを差し引いてもプラスになれば、殺害は正当化されることになる。それを避けるには、他者の権利を侵害すること自体を不正と見なす権利論を取る必要があることを強調する。

ただ、リーガンの場合も、必ずしも全ての動物に平等に「権利」を認めているわけではなく、哺乳類（＋鳥類）に焦点を絞っている――シンガーの場合、「人格」概念を哺乳類全般に適用できるかもしれないとしているが、明言は避けている。彼は知覚、記憶、欲望、信念、自己意識、意図、未来感覚などの面で、一歳以上の標準的な哺乳類は「精神生活」を送っていると言えるとして、これらを根拠に、彼らのそれぞれを個性を有する権利保持者として扱うべきという立場を取っている。リーガンは、人間を連想させる「人格」の代わりに、「**一つの生の主体** subject-of-a-life」という言い方をしている。

アメリカの法学者ゲイリー・フランシオン（一九五四～）は『動物、所有、法』（一九九五）で、従来の法理論における動物の扱いは、動物に不必要な苦痛を与えることを禁じ、人道的に扱うことを命じる一方で、彼らを所有物とすることを自明視する「**法的福祉主義** legal welfarism」に依拠しているとして問題視している。法的福祉主義は、動物の利益を認めるが、それを否定することが人間にとって充分利益があると判断される場合は、後者の方を優先する。法的福祉主義は多くの場合、その行為の帰結のプラス・マイナスを計算する功利主義に依拠している。

フランシオンに言わせれば、シンガーの動物福祉論は、動物の苦痛を徹底的に減少させることを要求するものだが、搾取される動物の利益を、その帰結によって得られる（人間の）利益が上回れば、搾取を許容してしまうことになる。この点でフランシオンは、リーガンの権利論をより高く評価しているが、「動物の権利 animal rights」と言う場合の「権利 right」が、「人権 human rights」と言う時の「権利」と同じ意味を持つには、現在の法制度を変革し、動物の所有物としてのステータスの「廃止」を提唱する。彼は、動物を人間の目的のために捕えて使用することの全廃を求める**廃止主義**（abolitionism）の運動の創始者とされる。

『動物の権利への入門』（二〇〇〇）では、「感覚を持ち sentient」、「苦痛を受けないことを利益とする」という点で、動物たちは人間と似ており、「平等な配慮の原理 principle of equal consideration」が適用されるべきだとしている。それに含まれる動物の範囲について、リーガンの一歳くらいという制約を外したうえで、昆虫についてはやや疑問を呈しているが、魚類は含まれると明言する――リーガンは魚類も知性を持っている可能性を示唆しているが、権利を認めるべきかについては迷っている。

フランシオンは、苦痛を感じる動物たちを、もっぱら他者の目的のための手段として利用することを許容する動物所有制は道徳的に許容しがたく、動物には、他者に所有されない基本権（basic right）があると改めて確認する。この場合の「権利」とは、たとえそれを無視することが社会一般の利益になるとしても、例外なく法的に保護されるべきものである。人間についても、どれがそうした絶対的な意味での「権利」であるかについては議論があるが、他の人間の所有物として利用されること（＝奴隷制）から生じる苦痛から全ての人間が保護されるべきという点については、国際共同体の合意がある。その基本権は、私たちと同じように感覚的存在である動物たちにも拡張しなければならない、というわけだ。

リーガンが、犬の命と人間の命のいずれかしか救えない緊急事態――サンデルの白熱教室のトロッコ問題に相当する――では躊躇なく人間を選ぶ、たとえ百万匹の犬を犠牲にしても一人の人間を救うとしているのに対し、「平等な配慮の原理」に基づく「基本権」にこだわるフランシオンは、異を唱える。多くの場合、様々な関係性や状況を考えて、一匹の犬より一人の人間を救うことになるだろうが、必ず人間の方を救わねばならないということにはならないはずだし、ましてや一人の人間の命の方が複数の犬のそれよりも価値があるなどということはない、と主張する。

「機械の書」が示唆するもの

すでに見たように、シンガーもリーガンもフランシオンも「平等な配慮」を適用すべき動物の範囲はどこまでかをめぐってかなり迷っているが、全ての動物を包摂すべきとまでは言っていない。

環境倫理学者のJ・ベアード・キャリコットは、論文「動物解放論争：三極対立構造」（一九八〇）で、シンガーら動物解放論者が、「感覚能力 sentience」で線引きし、快楽や苦痛に対して無感覚な単純な動物は、道徳的配慮（moral consideration）に及ばないという態度を取っていることを批判している。キャリコットに言わせれば、木や川や山は、自ら生命を持っているか、生命プロセス（life process）に寄与しているのに、「無意識 unconscious」かどうかで線を引いてしまうのは恣意的である。彼は、生態系を構成するあらゆる存在者を含む生命共同体（biotic community）全体を、道徳的な配慮の対象にすべきではないか、と主張する。『地球の洞察』（一九九四）では、人間の権利を一部の動物に拡張しようとする動物解放論者よりも、増えすぎた動物を狩猟の対象にして、頭数を調整しているアフリカやアメリカの先住民たちの方が、生命共同体に優しい環境倫理を実践していると示唆する。

無論、こうした全体論的な主張に対して、動物の権利論者は、それだと人間の都合で何とでも理屈をつけられて動物の殺害を正当化することになる、と反論する。だとしても、動物の権利論が、自由権を中心とする「人権」を自明視する西欧近代人にとって分かりやすい――反論しにくい――線引きをしていることは否定できない。

人間でなくても権利の主体になり得るとすると、権利主体の範囲はどこまで広がるか分からない。生物学の発展に伴って、植物やミドリムシにも「感覚」に相当するものがあると判明するかもしれない。また、「自己意識がある」とか「快苦を感じる」を規準とした場合、先に述べたように、将来シンギュラリティを超えたＡＩがそうした基準をクリアするかもしれない。動物の権利論者は、動物実験の代わりにＡＩでシミュレーションすればいいと主張しているが、ＡＩも「痛みを感じる」、しかも人間や動物以上に鮮明に「感じる」としたら、ＡＩでの〝実験〟に慎重にならざるを得ないだろう。その逆に、遺伝子操作で一切の痛みを感じないし、自分の死を認識することもないクローン、あるいはキマイラ動物が誕生したら、シンガーやリーガンの基準だと実験用に使ってもよいということになるかもしれないが、それについてはどう考えるべきか。

もう少しＳＦ的な想像を進めると、現在は、ＡＩは金属や半導体、プラスチックなど、非有機的な媒体上で動作しているが、現在の生命を構成するのと素材的にほぼ同じ組成のコンピューターやロボットが登場してくるかもしれない。そうなると、「生物」「動物」「植物」「意識」「快楽／苦痛」などの定義を変えて、それに合わせて権利や義務、人格、正義など、法や道徳の基礎的概念も変えざるを得ないだろう。そうした変更を、現在の意味での「人間」だけで決めていいのかということになり、収拾がつかなくなりそうだ。一九世紀の英国の小説家サミュエル・バトラー（一八三五〜一九〇二）は、ユートピア小説『エレホン』（一八七二）で、かつて高度な機械文明を誇ったが、今では機械の製作を禁止している架空の国「エレホン Erewhon」――〈no where〉のアナグラム――を描いている。彼らが機械を放棄したきっかけになったとされる、数世紀前に書かれた「機械の書 The Book of the Machines」は、私たちが「意識 consciousness」と呼んでいるものは、長い進化の時を経て、ある種の生き物の内に生じてきたものだが、別の進化の経路をたどって、別の形態の「意識」が発展する可能性はないのかと示唆している。

　私たちは、植物には意識がないと決めつけているが、彼らは光がある方に茎や枝を曲げ、土があれば根を伸ばす。食虫植物のように、獲物の存在を意識して行動しているように見えるものさえある。外的な行動（変化）を見る限り、植物と動物の間に決定的な差異はない。植物の動きが私たちに理解できないので、意識や感情に相当するものがないと判断しているにすぎない。私たちが意識を伴った行動と思っているものも、実際には、身体を構成する物質の化学的・機械的反応の連鎖にすぎないとすれば、私たちとジャガイモは本当に違うのか。

　私たちが使っている機械には、今のところ「意識」がないように見えるが、そのうち機械の進化に伴って、私たちが「意識」と認めざるを得ないものが生じる可能性は否定できない。機械は私たちと違って、疲れることなく常に正確に活動し続ける。私たちは機械を改良して、便利にすることで様々なことができるようになり、機械の補助で思考能力を発展させ、賢くなったつもりでいる。しかし実は、機械が私たちを利用することで、自分たちの進化を促しているのかもしれない――これは「ミーム(文化的自己複製子)」が、人間の脳を介して自己複製・増殖していく、というドーキンスの議論を連想させる。私たちは機械を召使いにしているつもりだが、いつの間にか主客転倒して、私たちが彼らに仕えるようになっているかもしれない。いや、機械が自分たちのやり方で、生殖＝自己再生産(reproduction)できるようになったら、効率の悪い生き物である我々は不要になるかもしれない……。

この「機械の書」は、意識とは何かをめぐる現代の心の哲学の核心的な問題と、人間とAIの融合の可能性を示唆するトランスヒューマニストのヴィジョンの接点を示すとともに、この章で検討した、何が「平等な配慮」を受ける基礎となるのか――人格か自己意識か意識か感覚か、それとも生命共同体への寄与か――をめぐる、動物倫理・環境倫理におけるせめぎ合いにも関わる、広い射程を持ったテクストだ。AIの権利、クローンの権利、動物の権利は一見全く異質な問題であり、実際異なった領域で論じられているが、「機械の書」は、これらの根底にある共通の問題系を示唆している。**「人間」を他の存在から隔てているものは何か。それは「人間」あるいは「人間」に近い存在に道徳的に特権的地位を与えている根拠になるのか。**現在の我々のそれとは異質な「心」が生じる可能性は、宇宙的な進化の視点から見てあり得るのだろうか。

第六章　エコロジーはなぜ哲学の問題になるのか

——人新世と新しい実在論

「人新世」の哲学的意義

近年、「**人新世《ひとしんせい》** Anthropocene」という言葉を目にすることが多くなった。地球圏・生物圏国際協同研究計画（IGBP）の二〇〇二年のニューズレターで、オゾンホールの研究でノーベル化学賞を受賞したオランダの大気化学者パウル・クルツェン（一九三三〜二〇二一）が、〝地質学上の年代〟を指す言葉として使ったのがきっかけで、広く使われるようになった。

新石器革命が起こって人類の生活様式が飛躍的に発展した完新世（Holocene）と実質的に同じ年代を指す場合から、第二次世界大戦後を指す場合までかなり幅があるが、人間の活動の拡大が地質学的な痕跡を残すほど大きな――ほとんどの場合ネガティヴな――影響を地球環境に与えているという意味合いが込められている。特に、二酸化炭素の排出やオゾン層の破壊などによる気候変動、平地造成、埋め立てなどによる地形の変形、生物の分布や進化への影響、化石燃料や放射性元素の利用による物質の分布の変化などが念頭に置かれている。

地球科学もしくは環境学上の概念なので、ごく普通に考えると、環境倫理学以外の哲学の諸分野とはあまり関係なさそうに思える。しかし、人間が自らの生きている環境を、地質学的な違いをもたらすほどに大きく変容させ、自らの種としての存亡を危機に陥れつつあることが、単なる文学的誇張ではなく、リアルな問題として突きつけられたことで、地球の生態系の進化の中で「人間」はどのような位置を占めているのか、「人間」とはそもそも何か、「人間」と「環境」はどういう関係にあるのか、「存在」するとはどういうことか、といった伝統的な哲学上の問いが、改めてエコロジーや地質学・気候学などの知見を参照しながら、掘り下げて論じられるきっかけになっている。

「人新世」において、人間が地球に与えている影響がこのまま強まっていくとどうなるのか。未来の状況を想像すると、近未来的には、エコロジストたちが想定するような人類と地球（の生態系）が滅亡する破局的な状態が浮かんでくるのが普通だろう。その一方で、それよりずっと先の未来のこととして、第四章で見たＡＩ化と一体となった「人類」の宇宙への拡張と宇宙改造という、トランスヒューマニスト的なヴィジョンに繋がっていく道筋が考えられないわけではない。

後者の可能性について考えるのはあまりにもＳＦ的で、「人新世」というリアルな文脈にはそぐわないようにも思える。しかし、ＳＦ的な状況を想定することで、「人間」が自らの存在の様式を大きく変化させた時、「環境」との関係はどうなっていくのか、「人間」と「環境」の間の境界線はそれほどはっきりしているのか、両者の境界が曖昧になる（実はすでにそうなっている）ということはないのか、「人間」が自らとともに地球を根底から作り変え、新しい生態系を生みだすことが可能になったとしたら、それを実行するのは悪なのか、新しい宇宙が生み出され、そこに(今の多くの生物の代わりに)「ポスト・ヒューマン」たちが生きているという状態になったとしたら……といった問いを通して、環境倫理の前提になっていることを掘り下げて考えるきっかけになるかもしれない。

また、人間と地球の関係について根本から考えようとすれば、その裏返しとして、人間がいなくなった後の地球あるいは世界、そして、人間が認識することも影響を与えることもできない未知の存在領域についても考えざるを得なくなる。

私たちは通常、地球上の動植物や生態系は、たとえ私たちがいなくなっても、私たちが現在認識しているままの形で存在し続けるかのように考えがちだが、家畜をはじめいくつかの動物は、私たちと相互に影響を与え合いながら共進化してきた以上、私たちがいなくなれば、今と全く同じ形で存在し続けることはないだろうし、生活圏や振る舞い方も変わってくるだろう。「人新世」でない地球の生態系は、どのような様相を呈するのだろうか。現在の人類に匹敵するほど、地球環境の全体に影響を及ぼす特定の種はいるだろうか。

犬や猫のような哺乳類でさえ、私たちとはかなり異なった仕方で世界を知覚していることが知られているが、前章で考えたように、今の地球とはかなり異なった進化を経てきた惑星に、全く異なる知覚・意識形態の〝生命〟が存在しているとしたら、世界はどのように見えているだろうか。その〝生命〟は我々とは生態や関心が異なるので、自／他、存在／非存在、生命／非生命、善／悪について、全く違った概念を形成しているかもしれない。

私たちは、五感だけでなく、想像や推論、さらにはそれらを基礎に制度化した数学、物理学、化学、生物学、地質学などを動員して、認識の「対象」を構成しているが、私たちより遥かに精密な〝科学〟を駆使する〝知的生物〟がいるかもしれない。そういう〝知的生物〟がどのように世界を把握しているかは、定義からして現在の私たちの理解を超えているので、ＳＦ的にイメージを膨らませるくらいしかできない。だが少なくとも、私たちが対象を理解するのに使っているカテゴリーが絶対的なものではなく、私たちと（私たちの）環境との関わりによって規定されており、環境の激変や〝異なる知性〟との遭遇によって、根本的に変容するかもしれないことを念頭に置かねばならないだろう。この点で、ノン・ヒューマンな世界を考えることとトランスヒューマニズムのヴィジョンは通底しているように思える。

「人新世」は、人間が世界とどう関わっているのかという根源的なテーマを、自然科学的な知見を踏まえて再考するよう、哲学しようとする者に強く促す。いろいろな視点があるが、まずは人間と環境の関係をめぐる存在論的な問題系が、エコロジーに関わる現実的な問題とどのように交差するかというところから考えてみよう。

エストニア出身のドイツの生物学者ユクスキュル（一八六四〜一九四四）は、『動物の環境と内的世界』（一九〇九、二二）などで、各生物にはそれぞれの「環世界 Umwelt」があることを指摘している。

例えば、ダニには眼や耳に相当するものがない。だが、哺乳類の皮膚腺から発する酪酸《らくさん》の匂いを嗅覚で受け取ると、それが持ち場を離れて、そこに身を投げろという信号になり、次に温度感覚に誘導されて温かいものの方に落ち、触覚によって毛のない皮膚の部分を見つけ、そこに頭から食い込んで血を吸う。彼らの経験は、ある面では人間のそれと比べて感覚を欠いているため貧しいように見えるが、別の面ではより濃密であり、ダニと餌となる対象の間に固有の関係が成立している。そうした種ごとに異なる、その種に属する各個体が誕生から死まで埋め込まれ、その経験に限界と固有の形態を与える知覚・運動空間が、「環世界」である。

この議論の影響を受けたハイデガー（一八八九〜一九七六）は『存在と時間』（一九二七）で、人間が自らの「世界」とどう関わっているかに関する考察を行っている。彼は、人間（現存在）は、気がついた時には世界の中に投げ込まれていることを見出す「世界内存在 In-der-Welt-sein」であり、（主体としての）彼の対象との関わりは、「世界」の中であらかじめ規定されている、とした。私たちは日常生活で、ドアや窓を開けたり閉じたり、服を着たり、電車に乗ったり……といった動作において、対象を明確に認識して、何のためにそれにアクセスするかいちいち意識することはない。何かうまくいかない時、例えばドアがいつものようにすんなり開かない時に初めて、自分が何によって何をしようとしているか気づく。その意味では、人間も「（環）世界」の中に組み込まれている。

ただ、自分が客体とどう関わっているか、時折であっても意識することに、人間という動物の特徴がある。意識することを通して、私たちは自らと対象の関わり方、さらには一定の傾向に従って対象を志向する自己の在り方を捉え直し、場合によっては大きく変更しようとする。「投げ込まれた geworfen」だけの状態から、自己の在り方を自ら構想＝企《き》投《とう》（entwerfen）し、決意をもって、世界の中に改めて投げ込む（werfen）。その意味で、私たちにとって「世界」は閉じられてはいない。このようにハイデガーは、近代哲学の前提にある「主体／客体」の二項関係を、両者が組み込まれている「世界」という観点から組み替えていくことを試みた——こうしたハイデガー哲学の特徴については、拙著『ハイデガー哲学入門』（講談社現代新書）を参照。

人間が、時として自らの「（環）世界」を出ようとし、それに伴って自己の在り方を規定し直すということは日常的に行われているが、「存在」とか「世界」とか「実存」（＝人間が自ら選び取る現実的な存在の仕方）に関心を持つ一部の哲学者（＋認知心理学者）しか関心を持たないだろう。ただし、そうした超越の試みの帰結として、「世界」の在り方そのものを大きく変化させ、その影響が人間自身にも跳ね返っている、ということになると、そうでない人たちも関心を持たざるを得ない、より一般的なテーマになる。

ハイデガー自身、三〇年代後半以降の著作において、人間が自らの存在の母胎である「自然」――ハイデガーは、人間を含めあらゆる存在者の母胎となった〝自然〟を、単なる認識の対象としての「自然」から区別するために、「成長」とか「現れ」といった意味合いを含む〈physis〉というギリシア語を使う――から離脱した（つもりになった）人間が、「自然」を加工可能な素材の総体としてしか捉えなくなり、自らが何者なのか分からなくなって、方向性を見失っていることを示唆している――拙著『後期ハイデガー入門講義』（作品社）などを参照。

また、フランクフルト学派のホルクハイマー（一八九五～一九七三）とアドルノも、『啓蒙の弁証法』（一九四七）で、科学技術によって（人間の身体を含む）自然を支配し、資源として利用することを至上命題とする近代文明の中に生き、飽くことなく合理性を追究する資本主義の生産―再生産過程に組み込まれた人間の自己疎外という形で、この問題を論じている。とはいっても、人文主義（フマニタス）的な教養を背景に展開される彼らの議論は、

「人間」の置かれた不安定な状況を際立たせるために、「自然」を引き合いに出しているきらいが強い。近代的な「自然」観を批判する彼らのテクストを読んでも、「人間」と「自然」、あるいは「世界」との関係が根本的に変わりつつあることは、一般読者にはあまりピンと来ないだろう。

ハイデガーの弟子であり、その著作の随所に「実存」をめぐるハイデガーの議論の影響が認められるアーレントは、『人間の条件』の「プロローグ」で、ソ連によるスプートニク打ち上げ（一九五七）の哲学的意義について語っている。今まで地球の上だけに生存し、地球の環境によってその存在の仕方が「条件」づけられていた人間が、地球の大気圏から抜け出て、離れた位置から地球を観察することが可能になった。このことは、人間が自らの存在の条件を変化させる能力を得つつあることを象徴している。

この出来事を枕として、本論では、古代ギリシアのポリスで成立した、ヒトを「人間」たらしめる三つの条件――①生命維持のための「労働 labor」、②文化的に意味のある事物を作り出す「仕事 work」、③言論によって他者に働きかける「活動 action」――の間のバランスが、近代科学技術の発展に伴って大きく変容しつつある、という壮大で悲壮な〈humanitas〉史が語られていく。自然を改造し、自分たちの生命維持の条件を変更することができるようになったヒトは、言語による他者との相互理解を通しての文化形成（＝

〈humanitas〉）よりも、技術の発展と生産力の拡大に力を入れるようになった——拙著『ハンナ・アーレント「人間の条件」入門講義』（作品社）を参照。

『人間の条件』の本論では、「外」から地球を観察できるようになったことが、哲学を始めとする人文科学（humanities）にとってどういう意味を持つか直接論じられていないが、論文「宇宙空間の征服と人間の身の丈」（一九六三）では、ある程度掘り下げて論じられている。自然科学の研究が数学的言語によって表現され、コンピューターの力を借りて実行されるようになるにつれ、研究者自身にも、人間としての日常的感覚の延長では理解できない領域が拡がっている。

量子力学の開拓者の一人として知られる物理学者のエルヴィン・シュレディンガー（一八八七～一九六一）は、自分たちが理論によって探究する領域が、「実際に接近不可能 inaccessible」であるだけでなく、「思考可能 thinkable」でさえないと述べている。量子論における因果性原理の位置づけをめぐってアインシュタイン（一八七九～一九五五）と論争したニールス・ボーア（一八八五～一九六二）は、因果性、決定論、法則の必然性などは、人が必然的に囚われる先入観に由来する概念にすぎない、と指摘している。いわば、デカルトが試みた、人間の身体感覚やそれと結びついた通常の思考に生じ得る誤謬《ごびゅう》の可能性を徹底的に吟味する「方法的懐疑」の効果が、思考の中での観念の操作にとどまらず、期せずして人間が観察するリアリティそのものを揺さぶるようになった、ということである。そうした、人間の身体感覚からかけ離れた未知の領域に突き進んでいく自然科学の成果として、宇宙から地球を観察することが可能になり、人類を滅亡させるかもしれない原子爆弾が開発された。

アーレントは、人間が自らの知覚能力の限界を超え、理論でしか把握できない未知の領域に入り込み、自らの環境、人間の住む世界を改造しつつあることによって、**人間の言葉や活動＝行為（action）を手がかりに人間の本質を探究するという人文科学（humanism）の伝統的な役割が、自然科学に奪われつつある**ことを示唆している。日常感覚の延長で構成された人文科学的なカテゴリーが、自然科学の非人間化した方法論から浮かびあがってくる新たなリアリティによって無効宣告される可能性が出てきたからである。これは、人新世における人文科学の役割をめぐる昨今の議論にも通じる視点である。

何のためのエコロジーか

アーレントの論文の一年前、アメリカの生物学者のレイチェル・カーソン（一九〇七～一九六四）の『沈黙の春』（一九六二）が刊行されている。ＤＤＴなどの殺虫剤によって自然の生態系が予想以上に破壊されており、衛生環境の改善のための措置によって人間が自分の首を絞めていることが露わになったことで、アメリカなどの先進国が公害問題に本格的に取り組み、環境運動がメジャーな社会運動になるきっかけになった。これを機に哲学者たちも、西欧近代における「人間―自然」関係の見直しという視点から、環境問題について考えるようになった。

　アメリカの科学史家のリン・ホワイト（一九〇七～八七）は、論文「私たちの生態学的危機の歴史的起源」（一九六七）で、あらゆる生物は自らの周囲の状況を変化させるが、人間が環境に及ぼす影響は圧倒的であると述べている。人間の活動によって多くの動植物が死滅し、森林が草原となり、堤防や灌漑《かんがい》によって水の流れが変わった。近年は、化石燃料の大量消費による大気の組成の変化によって、人類自身にも害が及んでいる。戦争で水素爆弾が使用されたら、これまでとは次元が違う変化をもたらすと思われる。先に見たハイデガー―アーレントの「（環）世界」論に関係づけると、科学技術によって自らが誕生した「環世界」から飛び出し、自らの行動パターンの変化に合わせて「世界」を拡張してきた人間が、「世界」に対して適切な距離を取ることができなくなり、自らが破滅する可能性を生み出してしまった、ということになるだろう。

　近代における自然破壊の加速は、科学の力によって自然を支配しようとする、西欧近代を特徴づけるベーコン的な信条の帰結だと言えるが、ホワイトはその起源は、神の似姿として創造された人間には自然を支配する使命があり、自然界の万物は人間の目的実現のために存在するというユダヤ＝キリスト教の教えにある、と主張する。必ずしも人間に似ているわけではない自然の諸事物の中に魂が宿っていると見て崇拝するギリシア・ローマのアニミズムはキリスト教によって抑圧された。ホワイトは、キリスト教の伝統の中では例外的に、人間の特権的地位を否定し、全ての被造物の間に民主的な関係を築こうとしたアッシジのフランチェスコ（一一八二～一二二六）の思想を、現在の危機的な状態から抜け出す導きの糸にすべきではないかとしている。

オーストラリアの哲学者ジョン・パスモア（一九一四～二〇〇四）は、『自然に対する人間の責任』（一九七四）で、ホワイトの議論に大筋では同意しながら、自然支配という考えはユダヤ教よりもむしろ、植物は動物のために、動物は人間のために作られたとする、アリストテレスの目的論に代表される、ギリシアの啓蒙主義に由来するとの見方を示している。ギリシア＝キリスト教的な傲慢が、科学によって自然の法則を解明し、技術によって世界を改造しようとするベーコン＝デカルト的な試みへと継承された。現代では、資本主義と共産主義の両陣営が技術中心主義のイデオロギーを共有し、生態系を人間の思い通りに操作できる機械のように扱っている。その一方で、西欧の中にも、人間は自然を守るよう神から命じられているスチュワード（管理者）であると見なす思想の系譜や、人間は自然の完成に協力すべきだとする、現代ではカトリック司祭で地質学者のテイヤール・ド・シャルダン(一八八一〜一九五五)に代表される思想の系譜などがあり、それらの系譜を活性化することで、生態学的な問題に対処し得るという見通しを示している。

パスモアは、将来の利用のために自然を「保全 conservation」することについては、将来の世代への責任という視点から正当化しようと試みている。未来の世代を含めた最大多数の最大幸福を目指す功利主義の議論や、ロールズの世代間正義論、各世代を繋ぐ愛の連鎖に基づく論などが有効なのではないかとの見通しを示している。ただ、人の手があまり加わっていない地域や生物の種をそのまま「保存 preservation」することについては、人類の文明に多大な負担を背負わせることになり、これまでの西欧的な思想の中から有力な論拠を見出すこともできない、という消極的な態度を見せている。彼は人間中心に考えざるを得ないことを、ある意味、開き直って認めている。

こうした人間中心主義に対して、反対する議論は少なくなかった。ヴァル・ルートリー(一九三九〜二〇〇八)とリチャード・ルートリー(一九三五〜九六)は、論文「人間ショーヴィニズムと環境倫理」(一九八〇)で、パスモアが代表する西欧の倫理は、いかなる正当化理由を示すこともなく、人間であるかどうかを不平等な扱いの線引きにしており、それはナショナリズムや人種差別、女性差別と変わりないと主張する。彼らは、環境倫理は動物や自然環境にとっての〝価値〟や〝権利〟を考慮に入れるだけでなく、「価値」や「権利」「道徳性」といった概念が人間中心的なものではないかメタ・レベルで再検討し、それに伴って倫理学だけでなく、認識論や形而上学、科学方法論、政治学、経済学、法学などの再構築を促すべきだと提案する。

エコロジーと哲学の融合

人間中心主義のエコロジー・環境倫理に対して、「自然」それ自体に価値を置く環境思想は「**ディープ・エコロジー**」と呼ばれる。ノルウェーの哲学者アルネ・ネス（一九一二〜二〇〇九）は論文「シャロー・エコロジーとディープ・エコロジー」（一九七三）で、先進国の人々の健康と豊かさのために公害や資源枯渇と闘うシャロー・エコロジーに対して、環境を「関係的・全体的な場 relative, total-field」として捉え、そこに属する全ての生命形態の原則的な平等を主張するディープ・エコロジーを提唱する。この場において、人間であるか他の生物であるかに関わりなく、個々の個体や種は独立の実体として存在するのではなく、様々な関係性の結節点にすぎない――ＰＣの画面上の様々な動作をするアイコンが、半導体の間の電子の移動、全体的な配置の変換の結果生じる像であって、固定した実体がないこととのアナロジーで考えれば分かりやすいかもしれない。

『エコロジー・共同体・ライフスタイル』（一九七六、邦訳タイトル『ディープ・エコロジーとは何か』）では、人間はすでに自らの生存にとって必要性を超えて、人間以外の世界に干渉しており、この状況を改善するためには、人間の人口をかなり減少させ、生活の質を変えることが必要だとしている。それに伴う政治、経済、科学技術、ライフスタイル（食物、衣類、住居、医療など）の改革案も示している。

　彼はまた、エコロジーと哲学を深く融合させる必要を説いたうえで、融合したものを学問分野としては「**エコフィロソフィー** ecophilosophy」、実践におけるスタンスとしては「**エコソフィー** ecosophy」と呼んでいる――この〈eco-〉は、〈economy〉の〈eco-〉でもあり、語源であるギリシア語の〈oikos〉の（広い意味での）「家」という意味が込められている。ネスの「エコソフィー」は、固定した主体／客体図式を前提とせず、（観察者自身も含めて）あらゆる事物や現象を関係的に捉えようとする。同じ事物でも、それが自分とどういう位置関係にあるか、どういう相互影響関係にあるか、観察者としての自分がどれとどう関わろうとしているかによって変化する。

　キャリコットは『地球の洞察』で、絶対的な時空間を想定するニュートン力学をモデルとし、自然を巨大な機械装置のように捉える近代科学の世界観に代えて、人間は単独で存在するのではなく、生態系の一部であると述べる。そのうえで、（私たちが絶対視しがちな）

人間の理性や道徳性もまた「生物共同体」を構成する他のメンバーたちと相互作用しながら進化の過程で形成されてきたもので、絶対的なものでないことを認めるポストモダンの科学的世界観に移行しつつあることを示唆している。新しい世界観に基づく進化論―生態学的な環境倫理は、他の生命形態や場を重視してきた、各地の土着の環境倫理と相互補完しながら、主体／客体、自己／他者の二元論に囚われることなく、生態系と文化の多様性を尊重する思考の枠組みを生み出しつつある、というのだ。

人新世の視点から知の分類を組み替える

人間が自らの「環世界」を拡張する過程で、生態系を自分たちが思っていた以上に急速に破壊し、文明の持続可能性、さらには人類の生存自体が危ぶまれるようになった状況を、「人新世」という概念は象徴的に表している。では「人新世」は、これまで様々な分野の人たちがそれぞれの視点から指摘してきた文明や環境をめぐる諸問題を、地質学・気候学的な視点から、ひとまとめにしたにすぎず、特に新しい知見を付け加えるものではないのだろうか。必ずしもそうではない。「人新世」という視点から、学問的な知の分類を組み替えようとしている人たちもいる。

オーストラリアの経済学者クライヴ・ハミルトン（一九五三〜）、フランスの科学史家クリストフ・ボヌイユ（一九六八〜）、ベルギーの政治学者フランソワ・ジュメンヌ（一九八〇〜）が編集した論集『人新世とグローバルな環境危機』（二〇一五）の、編者たちによる序論「人新世を考える」では、「自然／文化」の区分をめぐる問題が提起されている。聖書の時代から一八世紀後半のフランスの博物学者ビュフォン（一七〇七〜八八）の頃まで、人類の歴史は大筋において地球の歴史と繋がっていると考えられていた。しかし、新しい産業秩序の形成とそれを象徴する啓蒙主義の台頭によって、世界は、人間の「社会」と「自然」に分割された。自然界の必然性から離脱し、自由になった人間の歴史は、明確なゴールを持ち、急速に進歩するが、目的を持たない自然の歴史は極めて緩慢で、そのテンポは全く異なる。学問も、「自然」を研究する自然科学と、「社会」を研究する人文科学・社会科学に大きく分割され、両者が全く異なる方法論に依拠するのは自明視された。ところが、「人新世」という概念を採用すると、二つの歴史の深い繋がりを考えざるを得なくなる。**自然科学にも、歴史的な思考を再導入することが必要になる。**この論集に収められている論稿「人新世における人類の運命」でハミルトンは、人間の影響を排除して対象を分析しようとしてきた地質学者のやり方が行き詰まっているのと同様に、市場や政治システムの動向が地球環境に影響を与え、それが人間の活動に跳ね返ってくる以上、社会学者たちは地球物理学者にならざるを得なくなっていると指摘する。

やはりこの論集に収められている論稿「人新世と諸歴史の収斂《しゅうれん》」で、インド出身の歴史学者ディペッシュ・チャクラバルティ（一九四八〜）は、これまでそれぞれ違う次元のものと考えられてきて、タイムスケールも全く異なる「地球システムの歴史」「惑星上での人類の進化の歴史を含む生命の歴史」「産業文明の最近の歴史」の三つを架橋することの困難を指摘している。政治家は任期の間に有権者の要求にいかに応えるかを考えるが、大気中に排出される二酸化炭素は、人間の尺度を超えた長期的影響を及ぼす。彼によると、私たちの知の枠組みには、克服すべき認識上のギャップが三つある。①私たちの日々の経済を支配する蓋然《がいぜん》性と、気候に関して私たちが有する知識の不確実性の間のギャップ、②人間の生活は一様ではないという――先進国と非先進国の間の不公正などに焦点を当てた――語りと、惑星の支配的な種としての人間の集団的生についての語りの間のギャップ、③人間中心主義的思考と、生命圏としての地球を考える思考の間のギャップ、である。

これに先立つ論文「歴史の気候」（二〇〇九）でチャクラバルティは、現代の歴史学は資本主義によるグローバル化の歴史を論じる場合でも、「人類 humanity」という単一の主体を想定することを拒否し、実際には様々な文化的背景を持った行為主体たちの活動によって世界史が構成されると主張する傾向があったが、「人新世」は、「人類」という生物学的、あるいは地質学的な主体を想定することを余儀なくしている。歴史家は、記録に残った人間の行為を分析するので、歴史家が従来の意味での歴史学の仕事をしている限り、「人類」という主体が史料から可視化されることはないが、「グローバルな温暖化」の歴史を書こうとすれば、人間の遺伝的変化やカーボン・フットプリントのような要素を、文化的要素と組み合わせて考える必要があると考える。

　主体としての「人類」を重視するチャクラバルティに対して、ボヌイユとフランスの科学史家ジャン＝バティスト・フレソズは、「人新世」をめぐる様々な言説を総括する共著『人新世という出来事』（二〇一六、邦訳タイトル『人新世とは何か』）で、権力政治的な側面を強調する。後期のフーコーは、国民の人口動態、健康、家族関係などを統計学的に正確に把握し、医療、公衆衛生、教育などの制度を動員して、彼らが正常＝規範的（normal）な生を送るよう誘導する、近代の「生権力 biopouvoir」の働きを描き出すことに注力したが、ボヌイユたちはそれをもじって「**地権力** géopouvoir」概念による分析を提案する。「地権力」は人間の生命だけでなく、岩石圏から成層圏まで含む地球環境全体を科学的に把握し、統治することを目指す権力の在り方である。この権力は、地球環境を一つのサイバネティクス（自動制御機構）と見て、物質、エネルギー、生態系から得られる「資源」を最も効率的に管理し、市場と結合する。彼らは環境工学的な計算に従って問題を解決しようとする、一見理性的な言説に「地権力」が潜んでいることがしばしばあると指摘する。「空から見た地球」とか「ヒトという種と地球システムの相互作用」というような語り口は、意図せずして「地権力」の発展に寄与している可能性があるという。そのうえで、一八世紀の後半以降顕著になってきた、エネルギーを中心に地球資源の分布状態を把握し、支配・管理しようとする資本主義経済のグローバルな活動と、それをめぐる諸言説や抵抗運動の歴史を叙述している。

「人新世」をもたらした責任主体として、種としての人類を想定するか、地権力のような政治・経済的なものを想定するかで、歴史の見え方や、諸科学の関係をどのように再編すべきかが大きく異なってくる。

「共存」の欺瞞——ダーク・エコロジー

「人新世」をめぐる議論に加わる知識人の多くは、人類を優先するか、地球の生態系を優先するかは別として、危機的な状況をどうにかしないといけないことを強調する。そもそも「生態系」とは何か、「生態系」にとっての「正義」のような概念に意味はあるのか、といった哲学らしい掘り下げた議論というのはあまり見当たらない。場違いな話をしているようで、言い出しにくいのだろう。ただ、そうした議論がないわけではない。

英国出身の文芸批評家・哲学者のティモシー・モートン（一九六八〜）は、『自然なきエコロジー』（二〇〇七）で、「自然」を実体視する環境運動、特に、人間の影響を排除した純粋な〝自然〟を守ろうとするディープ・エコロジーに対して批判的な距離を取っている。英国のロマン主義文学の研究から出発したモートンは、環境保護運動の源流に、人間の手が及んでいない〝美しい自然〟を理想化するロマン主義的な表象があることに注目し、ブレイク（一七五七～一八二七）、コールリッジ（一七七二～一八三四）、ワーズワース（一七七〇～一八五〇）などの一見〝自然〟を歌っているように見える詩は、実際には、〝美しい自然〟に没入していくわけではなく、アイロニカルに距離を置くものであることを強調する。

私たちが人間界の「外部」として表象する〝自然〟は、近代化の過程で疎外されている、本来の自分らしさを失っていると感じる人間が、欠乏を埋めるためのユートピア的表象として生み出したものであって、〝自然〟という統一的実体があるわけではない。モートンは、自然と人間界の間に一義的に境界線を引くことはできないし、いくら個人が野外に出て敏感になろうとしても、詩的想像力を発揮しても、思っていた通りの〝自然〟を見出すことはできないことを、様々な文学・芸術作品に即して示していく。〝自然〟を様々な角度から観察し続ければ、普通の日常では知覚されない――〝美しい〟ものとして愛することなど到底できない――不気味なものが見えてくるかもしれないし、人間の毒によって汚染された〝自然〟が見えてくるかもしれない。

　モートンは後者の、人間自身によって毒された〝自然〟、半ば人工物になってしまった〝自然〟にどう向き合うかという問題を、ロマン主義の時代に突きつけた作品として、メアリー・シェリー（一七九七〜一八五一）の『フランケンシュタイン』（一八一八）を挙げている――『シェリーと味覚（趣味）における革命』（一九九四）では、メアリーの夫のパーシー・ビュッシュ・シェリー（一七九二〜一八二二）とその周囲の人たちのヴェジタリアン・ダイエットの実践と言説という面から、ロマン主義の時代における「人間的なもの」と「自然的なもの」との関係を考察している。『フランケンシュタイン』では、ヴィクトル・フランケンシュタインが作り出した醜い怪物が、美しい自然の中を逃亡していくさまが描き出されている。美しい自然が人間たちによって愛されるのに対し、怪物は決してそのままの形では受け入れられず、創り出した者自身が責任をもって破壊されるべき、不吉な「物」として扱われる。

　モートンによると、このテーマを現代においてより先鋭化した形で継承したのが、映画『ブレードランナー』（一九八二）だ。遺伝子工学によって人間そっくりに作られたが、人間とは異なる心身の構造を持つレプリカントは、人間に仕えることによってのみ存在を許されている。創り主である人間に反逆するレプリカントが観察されるようになったが、彼らはブレードランナーによって破壊されるしかない。

この作品の中で、レプリカントに向けられるまなざしは、私たちが、自分たちが作り出した（半）人工物に対するまなざしを象徴しているように見える。そのまなざしは、ＡＩや遺伝子操作で生まれた生物、家畜や野菜などの品種改良された生物だけでなく、人間の手が加わった森林や河川、平地、さらには人間の活動で大きく性質を変えつつある海洋や大気など、地表の全てに及ぶだろう。（広い意味での）人工生命維持装置で生かされている人間もそうかもしれない。通常のエコロジーは、それらが人間の汚染から浄化されるかどうかで、愛すべき〝自然〟かどうか判定するが、それによって多くのものがフランケンシュタインの怪物や反逆するレプリカントのように治癒不可能な出来損ないとして破壊されざるを得なくなるし、愛されるべき〝自然な〟対象も、結局は（人間の愛に応えてくれるように）擬人化したうえで、愛されるにすぎない。

〝美しい自然〟を形而上学的に実体化してきたディープ・エコロジーに対し、モートンは、レプリカントをレプリカントとして、（醜く、どろどろした）物（thing）を、擬人化することなく物自体として愛する**「ダーク・エコロジー」**を提唱する。「ダーク・エコロジー」は、他者との美しい共存を意識するエコロジー的な意識が、その他者との関係を別の角度から見た時、必然的に不気味な様相を呈することを自覚したエコロジーである。

モートンの著書『ダーク・エコロジー』(二〇一六)では、このことを――脱構築的にひねった文体を駆使しているので、かなり分かりにくいが――ある程度体系的に示している。私たちは常に周囲の多くの存在者と相互依存関係にあり、存在し続けるためには何らかの他の存在者を犠牲にしなければならないが、「共存」という時には、犠牲にされる存在者が視界から外される。

農業を始めれば、食用に殺す動物の数を減らし、より多くの人口を養うことができる。その代わり、植物は人間が栽培しやすいように品種改良され、土地の形状や土壌の成分が大きく変化し、土地における植物の分布が変わり、結果的に絶滅に追いこまれる植物や動物が出てくる。アメリカの中西部の大草原に作物を植えつけるため、草原の草を刈り取ったことで、一九三〇年代にダスト・ボウル(大規模な砂嵐)が生じ、アメリカ全体に大きな被害をもたらされた。家族の他、ペットや家畜の健康のために殺虫剤や抗菌剤を使うと、小さな虫やバクテリアを殺し、彼らを中心とする生態系を乱すことになる。

社会的弱者や人間の身近な動植物のために、こうした弊害を除去すべく、科学や技術を駆使すれば、別のところに犠牲が出て、どんどんループが大きくなる。**「人新世」というのは、地球全体が、そうした〝エコロジーの破壊と修復〟のループに巻き込まれ、もはや逃げ場がなくなったことが認識されるようになった、**ということである。クルツェンたちが、「人新世」に関する情報を得るために使った観測装置も、何らかの形で、生態系に属する不可視化されている存在者に負の影響を与えているはずである。モートンに言わせれば、こうしたループの発見には、ホラー映画で怪物と闘っているつもりの登場人物が、土壇場になって自分自身が怪物であることに気がつかざるを得なくなるような不気味さがある。

フロイト（一八五六〜一九三九）は論文「不気味なもの」（一九一九）で、「不気味なもの das Unheimliche」を、もともと馴染みがある（heimlich）はずなのに、長い間無意識の中に隠されていたものが、何かのきっかけで意識の表面に浮上してきた時に生じる両義的な感情、と定義した。他者との共存を求めるエコロジカルな意識は、それを意識すると、自分の中の怪物を意識せざるを得なくなるので、どうしても意識したくない他者との遭遇という不気味な状況を生み出す。**「不気味なもの」を無理に美化したり無視したりせず、直視することで、自らがいかなる他者たちに責任を負っているのか再考する**のが、「ダーク・エコロジー」の基本的スタンスだ。

世界に収まりきらないものとの遭遇

モートンは『ハイパーオブジェクト』（二〇一三）で、人間の歴史と地球の地質学が一致してしまう「人新世」というホラーのような事態に際して、これまで人の世界に限定されてきた哲学の限界を超えるには、「**思弁的実在論** speculative realism」、特にグレアム・ハーマン（一九六八〜）が開拓した「**対象志向存在論** object-oriented ontology（以下ＯＯＯ）」が有用であると主張している――『現代哲学の最前線』第五章を参照。

ＯＯＯが有用であるのは、人間の意識やデータに還元されない「対象（物）」がリアルに存在することを前提すると同時に、「対象」と「（人間である）主体」が相互に切り離されているかのように描き出そうとしないからである。「対象」は主体に働きかけ、認識や行為へと刺激することもあるが、主体の側からアプローチしようとすると、私たちの視界から遠ざかっていく。またＯＯＯは、物理的に認識・計測可能なはっきりした境界線を持ったユニットだけでなく、会社とか軍隊、家のような人間が作った物や組織、森や湖のような様々な物の集合体も「対象」として扱う。他の「対象」から相対的に自立し、ある期間、相互に影響を与え合っていることが確認されるのであれば、「対象」である。

モートンは、エコロジーの文脈で特に重要な「対象」として、「**ハイパーオブジェクト**」と呼ぶべきものの存在を指摘している。それは私たちの身近にあって、その一端を知覚することは可能だが、時間的にも空間的にも広範に分布しているため、一つの「対象」として認識しにくい。しかし、私たちと相互に影響を及ぼし合い続けており、その存在に直面せざるを得なくなった時、非常に「不気味さ」を覚えさせる。「人新世」において、「人類」という「ハイパーオブジェクト」は、地球、生命圏、グローバルな温暖化、存在する全てのプラスチックの袋、放射性物質など、他の「ハイパーオブジェクト」たちとの遭遇を余儀なくされる。

私たちが直接知覚できる「ハイパーオブジェクト」の個々の断片は、さほどの脅威には思えず、たとえ危険でも、人為的な操作によって無害化できそうだし、それがだめでも、どこかに逃げられるように思える。しかし「対象」の全体像が見えてくると、実際にはほとんど無害化されていないし、あまりにも広範に自分の周囲に拡がっているので、逃げるのが難しいと感じられてくる。「人新世」は、いくつかの「ハイパーオブジェクト」から逃れる余地がないことが明らかになる。これは映画『マトリックス』で、鏡を覗き込んだ主人公ネオが、鏡が融けて自分の身体にまといつき始め、自分の身体を含むリアリティが、マトリックス（というハイパーオブジェクト）としての本当の姿を見せ始めた時に感じる不気味さに相当する。

モートンは、ハイパーオブジェクトの特徴として、次の五つを挙げている。①まとわりついてくる「粘着性 viscosity」、②どこか特定の場所に存在しているわけではない「非局在性 nonlocality」、③どういうタイミングでやってくるかに関する人間の予測を裏切る

「時間的振動 temporal undulation」、④観測者にはある視点からの一つの側面しか見せず、視点によって異なった様相を呈する「位相化 phasing」、⑤ニューロンの重なり合いで「意識」が生じるように、複数の対象の間の関係性から構成されるがゆえに、それ自体として知覚されることがない「間対象性 interobjectivity」、である。

　これらのハイパーオブジェクトを知る前の人間は、自分の知っている「世界」の秩序の中に全ての「対象」がきれいに収まっている、と思っていた。しかし「人新世」において、「ハイパーオブジェクト」たちがこれまでも自分たちの身近に存在し、私たちの生活に影響を及ぼしてきたこと、今や全面的にその巨大な姿（の諸痕跡）を現しつつあるという事態に直面した。私たちの知っている「世界」に収まり切らない「ハイパーオブジェクト」が――SFの未知のモンスターのように――相次いで現れたことで、「世界」は蒸発してしまった。

　通常のエコロジー思想・環境倫理は、責任主体としての人類あるいは西欧文明（資本主義）と、被害を受けている自然、あるいは生態系を対置するが、モートンはそれとは違う次元、ハイパーオブジェクトとの遭遇による人類の変容という、美的＝感性的（aesthetic）な次元に関心を寄せている。責任主体にならねばならないということではなくて、そういう意識を抱くように強いられる経験が進行していることが問題なのである。

不気味な「対象」との遭遇による、人間的な「世界」の解体を、存在するあらゆる事物が恒常的な生成のプロセスの中にあると見るホワイトヘッド（一八六一～一九四七）の宇宙論やＳＦを援用して、ポジティヴに描いているのが、同じＯＯＯ型の思弁的実在論の系譜に属する、アメリカの哲学者スティーブン・シャヴィロ（一九五四～）だ。『モノたちの宇宙』（二〇一四）でシャヴィロは、この著作のタイトルの由来になった、グウィネス・ジョーンズ（一九五二～）の短編小説「モノたちの宇宙 The Universe of Things」（一九九三）を、実在する「対象」の、人間に対する働きかけを描いた作品として高く評価している。

　主人公は、エイリアンが訪れ、彼らの存在が現実になった地球で生活している自動車整備工である。彼の店にエイリアンたちが車の整備の依頼のために訪れる。エイリアンたちの機械や道具は、彼らの体内のバクテリアから作られており、作られた後でも、彼らはそれが自分の一部だと感じている。彼らの世界は文字通り、彼ら自身で作られている。預かった車をいじっていると、整備工は、「車」と繫がり、それを介して自分たちを取り巻く「物」の一部になったような、吐き気を伴う不思議な感覚を経験する。

「人新世」の地球に現われてくるハイパーオブジェクトは不気味だが、私たちに、「人間」という古い主体性の枠を超え、「モノたち」との新しい関わり方を教えてくれるかもしれない。

第七章　科学はどこまで客観的か

——ポスト・ヒューマンな「科学」論

科学の主体としての「人間」

多くの人は、人文科学や社会科学が、人間による人間の営みの観察・解釈なので、どうしても主観的になり、何とでも言えてしまうことを言い合っているような感じになるのは仕方ないとしても、狭義の「科学」――本来の〝科学〟――である「自然科学」は、「自然」を相手に実験や観察をやって実証しながら研究を進めるので、客観的で信用できる、と考えている。

多少の科学の歴史を知っている人なら、「(自然)科学」はより精密な研究技法が開発されることによって、次第に観察結果が正確になっていくということはあるが、文系の学問のように、議論の前提が根本からひっくり返ることはなく、トーマス・クーン(一九二二～九六)の言う「パラダイム・シフト」のようなことが起こっても、古いパラダイムに属する研究の成果も、新しいパラダイムのデータとして生かされる、と言うだろう。

しかし、第五章で考えたように、AIとともに、あるいはAIの中で生きる「ポスト・ヒューマン」たちが、自らにとって最も合理的なやり方で「自然」を観察し、「自然」の法則自体をいじるようになったら、あるいは、先ほどジョーンズの「モノたちの宇宙」に即して見たように、進化の過程で人間の後に登場する知的生命体の身体構造や物質的組成が、現在の人間から大きく隔たったものになったら、「科学」の在り方は――科学者たちの大小の共同体の大前提が変わるということでしかない「パラダイム・シフト」というような次元を遥かに超えて――大きく変化すると想像できる。そうなったら、「科学者」という専門家が存在しているかどうかさえ分からない。

現時点では、そうした超科学はＳＦでしかないが、観察・研究する主体が「人間」という動物であることや、人間の知覚や行動様式、関係性が「科学」の在り方にどのような影響を与えており、「人間」自体の変化が「科学」にどういう影響を及ぼすか、ラディカルに掘り下げて考える科学哲学・社会学の試みがないわけではない。

本章ではそうした批判的な科学論の系譜を見ていきたいが、その前に、ここで問題にするのがどういうタイプの「科学」論なのかをはっきりさせておこう。「科学」――主として自然科学――とはどういうものか論じる科学論には、大きく分けて二つの系譜がある。一つは、**どのような主体が研究を行うか**、つまり、科学的知識さえあればどんな人間であるか、ＡＩであるかに関係なく、正しい手順に従って研究を進めさえすれば、〝客観的に正しい答え〟を出せるはず、という主体中立的な前提に立つものである。

科学的命題は、実験や観察によって直接真偽を検証できる原子命題に論理学的な操作を加えることで構成されるとする、カルナップ（一八九一～一九七〇）やシュリック（一八八二～一九三六）などのウィーン学団はこの典型である。経験的に反証可能であることが科学的命題であるための条件だとするポパー（一九〇二〜九四）や、その分野の研究者たちに共有される基本的な概念装置や方法論の集合体（パラダイム）によって研究の在り方が規定されるとするクーンの立場は、〝正しい答え〟が複数あることを認めているように思えるが、それはあくまで、異なる前提から出発すれば異なる〝答え〟が出ることがあり得るということであって、「主体」の在り方を問題にしているわけではない。ポパーもクーンも、科学が次第に進化して、科学的「真理」それ自体に接近していくことを否定しているわけではない。

　分析哲学者の大半は、こうした〝客観的〟な「科学」観を取っている。「自然」に忠実に研究すれば〝客観的で明晰な答え〟は出せる、それを否定するのは「科学」ではない、というウィーン学団的な発想が分析哲学の根底にあるのだから、当然である。分析科学は、数学基礎論、物理学、生物学、認知心理学などの最先端の成果を参照しながら自らの議論を展開してきた。分析哲学の主流派は、主体の在り方とは独立に、対象に対する――少なくともその時点ごとに――〝科学的に正しい〟アプローチを確立することは可能だと考えているように思われる。

　それに対して、「科学」というのは、「主体」が「対象」が示す属性を自分にとって最も都合よく把握するための手段なので、**「主体」の在り方によって「科学」の在り方も変化**

するのは当然という見方をする、異端の「科学」論もある。現在の私たちにとって、生物学と機械工学は全く別の分野だが、「モノたちの宇宙」のエイリアンにとっては血続きかもしれない。本章で問題にするのは、そういう捻った発想をするタイプの「科学」論だ。

「主体」の在り方と言う場合、①主体が身を置く社会的関係性、②ヒトとしての生物学的属性、③主体と環境の関係——の三つの側面が考えられる。私たちは、人間による「科学」しか知らないので、どうしても①の側面からのアプローチが中心になるが、実験・観察のための装置、分業体制や情報共有のための制度は、人間の認識・情報能力の限界を超え、人間が周囲の環境から受ける影響をコントロールできるように構築されているので、掘り下げていけば、②や③の側面も見えてくる。そういう意味での深みがありそうなアプローチに焦点を当ててみたい。

唯物論とマッハ

近代「科学」が、人間の在り方に強く左右されていることを指摘する初期の議論として、マルクス主義によるものがある。レーニン（一八七〇～一九二四）は、『唯物論と経験批判論』（一九〇九）で、フランスの物理学者で科学哲学者でもあるポアンカレ（一八五四～一九一二）が、『科学の価値』（一九〇五）で「物理学の危機」と呼んだ事態について、史的唯物論の視点からコメントしている。「危機」というのは、ラジウムの示す性質によってエネルギー保存の法則が揺るがされ、電子の運動速度と質量の関係が明らかになっていくことで、質量保存の法則が揺るがされるというように、物理学の大前提のいくつかが揺らいで、このままでは確実なやり方で研究を進められるかどうか不安になっている、ということである――ポアンカレがこれを書いた前後に、量子力学や相対性理論が登場しつつあった。

　レーニンは、この危機をもたらした発見によって、物理学における唯物論者と観念論者の間に争いが生じていると指摘する。光、電子、原子などの素粒子の性質が解明されるにしたがって、あらゆる「物質」の基礎になる究極の実体があるのかどうか次第に曖昧になっていることをもって、あたかも「物質 материя」なるものは存在しないと主張する物理学者や哲学者たちが登場している、という。レーニンに言わせれば、これは観念論的な虚偽意識に基づいた、誤った「物質」観である。観念論者は、「物質」が運動しながら変化するものであることが分かっていない。「物質」が常に生成変化することを、「物質」が存在しないことと取り違えている。しかも、これは単なる一部の学者の問題ではない。

　マルクス主義の史的唯物論によれば、人類の歴史は、支配階級と被支配階級の階級闘争の歴史であり、後者が自分たちを囚えている生産様式（物質的現実）に直面せざるを得ないのに対し、前者は後者が現実に目覚めないよう、現実を理想化するイデオロギーとして観念論的な思想を発展させる。科学は本来、現実を明らかにする唯物論の味方をしているはずなのに、支配階級を代理する観念論者たちは、人々に幻想を抱かせる観念論的なイデオロギーを生み出して抵抗する。「物理学の危機」は階級闘争を現している、というわけだ。

　こうした見方は、マルクス主義の史的唯物論、あるいは弁証法的歴史観を強引に「科学」の論争に当てはめており、かなり一方的である。被支配階級であるプロレタリアートこそが唯物論的な現実を見抜くことができ、彼らを代理する唯物論の科学者だけが真の科学者であるというレーニンの主張は、それこそマルクス主義の党派的イデオロギーに基づく言い分なので、真に受けるわけにはいかない。しかし、人間は歴史の中で階級闘争を続ける社会的存在であり、科学者や哲学者の社会的な在り方が科学の基礎概念の構成・解釈にも反映される、という見方はある意味一貫している。レーニンの分析は独断的だが、「物質」が単なる便宜的な名称ではなく、いくつかの共通の性質を持つ実体であるかどうかへのこだわりと、その主体の経験や世界像、生活環境に何らかの関係があるのではないかというのは、検討してみる価値のある問いだろう。

　徹底的な唯物論を追求するレーニンが、当時の観念論的な物理学の源泉として執拗に敵視しているのが、ドイツの物理学者で、その名前が音速の単位になっていることで有名なエルンスト・マッハ（一八三八〜一九一六）である。マッハは科学史家・科学哲学者としても活動しているが、その代表的な著作が、『唯物論と経験批判論』の中でしばしば引き合いに出されている、『感覚の分析』（一八八六）と『認識と誤謬』（一九〇五）である。

これらの著作でマッハは、物理学の研究の対象となる、私たちの身体の外部に存在する「物理学的要素」と、身体の内で作用する「心理学的要素」は別個のものではなく、一体をなしていて、私たちは認識に際して両者を便宜的に切り分けているにすぎないという「要素」一元論とも言うべき立場を打ち出した。世界は、主観的とも客観的とも言えない各種の「感覚的諸要素 sinnliche Elemente」の「複合体 Complex」で充満している。音、色、匂い、圧力、時間、空間などが、私たちの内側で構成された虚構であるのか、外側の物体（Körper）に由来するのか、明確に区分けできるわけではない。私の身体や意識も含む諸要素の相互作用の連鎖の一部が、私の意識に現われてくると、それが「認識」と呼ばれる。

『感覚の分析』では、物体の運動の仕組みを探究する物理学と、人間や他の動物の知覚を探究する生物学、生理学、心理学は、世界を構成する「要素」の別の側面に焦点を当てているにすぎないとの見地から、領域の統合の必要性を示唆している。空間感覚、運動感覚、時間感覚などに関して、関数表現や幾何学的図形を使ってメカニズムを解明することを試みている。人間特有の認識の仕方の問題にはそれほど踏み込んではいないが、『認識と誤謬』で、人間も動物も自らの感性的な経験を基に「世界像 Weltbild」を築いているので、両者の違いは質的なものではなく、量的なものにすぎないという見方を示している。その意味で、人間を対象とする文化的な科学と、他の生命体を対象とする自然科学は地続きだ。「心理学と認識論の源泉である生物学と文化史は、両者の共通の源泉として等価であり、相互に補い合う関係にある」という。

マッハの要素一元論と、マルクス主義の唯物論は政治的に対立していたわけだが、それぞれ人間と科学の関係についての重要な側面を代表しているように思える。

科学／非科学の境界線

一九二〇年代末にウィーンで、ドイツ語圏で活動する物理学者、数学者、経済学者などによって結成されたウィーン学団は、先に述べたように、自然科学の方法論は人間の主観に左右されない客観性を備えており、社会科学や人文科学もそれに倣うべきとの立場を取った。それに対してポパーは、『科学的発見の論理』（一九三四）で、実験などによって観察された事実から、帰納法によって客観性のある科学的命題をストレートに導き出すことはできないことを指摘した。観察された事実は様々な解釈が可能だからである。

例えば、二つの物体を接触させて何か化学反応のような現象が起こったことを観察できたとしても、それがそれぞれの物体に含まれるどういう化学式で表される物質が反応したものなのか、それからどういう物質が生まれたのか、私たちには直接知覚できない。条件を変えたら、違った現象が生じるかもしれないが、その全ての可能性を見通したうえで、何が起こるか言い当てることはできない。

科学者は自分の仮説に従って、反応を化学式などで表現し、法則を定式化するが、彼の解釈に基づく命題が科学的かどうかは、「**反証可能性** falsifiability」によってしか、つまり、どのような実験や観察を行って、どういう結果が出たら反証したことになるのか特定できるようになっていることでしか判断できない、というのがポパーの主張だ。物質は万物の母であるとか、自然は真空を嫌う、などのように反証可能性がない命題は、何とでも言い逃れできる曖昧な命題なので、科学的ではないということだ。無論、反証可能性を備えていて「科学的」だからといって、それだけで絶対的な真理とはならない。精密な観察や実験の方法が開発されて、反証されてしまう可能性は常にある。

こうした「反証可能性」による科学／非科学の「線引き Abgrenzung」を主張することで、ポパーは、**科学的事実を確定することがそんなに簡単でない**ことを示唆したと言える。どれほど〝端的な事実〟にも人間の主観的な解釈が入り込んでくるからである。彼は、そうした人間の主観がどういう性質のもので、どのように生じてくるか、という問いには関わらず、主観的な解釈が無闇に〝科学〟に忍び込んでくるのを抑止する防波堤を築いた。〝科学〟の〝客観性〟を守ろうとしたわけである。

しかし、アメリカの科学哲学者N・R・ハンソン（一九二四〜六七）は、『科学的発見のパターン』（一九五八）で、理論の帯びる主観性の問題を一歩踏み込んで論じた。彼は、ティコ・ブラーエ（一五四六〜一六〇一）とケプラー（一五七一〜一六三〇）が〝同じもの〟（太陽の運動）を観測していたはずなのに違う法則を導き出した例や、フランスの物理学者ピエール・デュエム（一八六一〜一九一六）の、物理学の実験室を訪れた初心者がそこで行われている実験がリールの電気抵抗の測定であると理解するのに、電気物理学をある程度時間をかけて学ぶ必要があるという示唆などを引き合いに出しながら、「見る」ことはその人の知識、理論、経験によって左右されると主張した。ハンソンはその意味で、「見る」ことは「理論負荷的 theory-laden」であると言う。

「理論負荷的」に、対象を「〜として見る」ことは誰にとっても不可避であり、その見たことの一面だけを、自分が習い覚えている理論の言語規則に従って「事実 fact」として記述するのであるから、「事実」は少なくとも二重に理論的バイアスがかかっており、その「事実」に基づいて、「理論」が構築される、という循環構造になっている。

ただ、循環構造になっているとしても、科学的知見は次第に累積され、詳細な情報が共有されるようになるので、個人の経験や思い込みによる〝単なる主観的な〟バイアスは、新しい〝事実〟を知ったり、相互批判を行ったりすることで補正されていく。それゆえ科学全体は健全な推論の構造を保持している、という楽観的な見方もできないわけではない。クーンは『科学革命の構造』（一九六二）で、**科学の進歩の仕方は累積的ではなく、断続的である**ことを指摘した。その分野ごとに共有している「パラダイム」によって標準科学（normal science）が営まれ、専門家の見方や仕事の仕方は制約されている。新しい「パラダイム」が登場し、両者の間で、「ニュートン力学vs.量子力学」のような闘いが生じ、革命が起こるまで、「パラダイム」的な見方自体が修正されることはない。

科学のアナーキズム――ファイアーアーベント

こうした流れによって、科学の〝客観性〟の基礎は危うくなったが、ポパーやクーンは科学の〝客観性〟を放棄したわけではない。しかし、そこからさらに進んで、〝客観性〟自体にこだわる必要はないというラディカルな立場を取る論者もいた。

オーストリア出身で、ポパーの下で学んだ後、アメリカで教鞭を執った科学哲学者ファイアーアーベント（一九二四〜九四）は、論文「説明、還元、経験主義」（一九六二）で、科学的命題を観察可能な経験的事実から論理的に導き出すことはそもそも不可能であることを示唆する。

彼はカルナップらが「観察文 observation sentence」と呼んでいるものをめぐる問題に注目する。「観察文」は、理論に基づく解釈を含まない、観察される素の事実に対応する文、言い換えれば、原子命題を表現する文である。ウィーン学団の論理実証主義は、論理学的厳密さとともに、実験や観察によって検証可能な「経験」に基づくことを二本目の柱とする。その柱を支えるのが「観察文」だ。そういう文が起点にならないと、後に先述のハンソンが指摘するように、自分の理論に都合がいいように事実を記述しているのではないかという疑いが払しょくできない――『現代哲学の最前線』の第三章を参照。

しかし、何の理論的な背景も持たない普通の人の〝経験〟は、その時々の印象や感情、知覚の個人差や錯誤といった主観的な要因を含んでいる。当然、彼らに思ったことをありのままに語ってもらった文には、そうした個人の主観的な要素に加えて、〝ナマの経験〟と言語の間の差異に起因する根本的なズレも含まれる。そうした〝素朴な発話〟を〝観察文〟と見なして、論理的に一貫性があり科学的に妥当な文へ翻訳することなどできるのか。これはカルナップたち自身も自覚していた問題だ。

そこで、ある現象が起こった時に、ほとんどの人間が示す――発話を含む――標準的な振る舞いのパターンを記録し、そのパターンから逆算する形で、基礎的な事実を確定するというやり方も考えられるが、その場合でも、自然な反応と思われるものが実際には言語を含めた文化的慣習として形成されていることを念頭に置かねばならない。それらの反応から文化的・個人的バイアスを取り除いて、純粋に科学の客観的な言語として翻訳する方法を見出すのは極めて困難だ。

問題は、経験と言語の間にだけあるわけではない。実験に関する言明を理論の助けなしに説明することはできないし、ある理論を別の理論の——例えば、生物学の理論を化学の理論の、化学の理論を物理学の理論の、熱力学の理論を力学の理論の、というように——純粋な論理的な帰結として導き出すこともできない。［経験・事実—命題（文）—理論］の間を行き来する際には、必ず何らかの——絶対確実な論拠によって基礎づけられているわけではない——解釈が伴うことを、ファイアーアーベントは古典力学や量子力学の実例に即して明らかにしていく。したがって、**科学的な「説明 explanation」とはどういうものかを、形式的かつ〝客観的〟に報告する術はない**のである。

『方法に抗して』（一九七五：邦訳タイトル『方法への挑戦』）では、科学の方法の歴史的な発展を統制する普遍的な法則などなく、科学は本質的に「**アナーキスト的企て** anarchic enterprise」であると断言する。政治的な挑発表現を大げさに使っているだけのようにも思えるが、このような表現を使うのは、ファイアーアーベントが、「科学」の「理論」は政治的に中立的ではなく、「イデオロギー」的性格を帯びていると見ているからである。

この場合の「イデオロギー」というのは、マルクス主義のイデオロギーのように、必ずしも何らかの経済・社会体制の反映として想定されているわけではない。ただ、ガリレオ（一五六四〜一六四二）の地動説に抵抗したアリストテレス主義者たちの態度に見られるように、自分たちの「理論」を守ろうとする古い「理論」の信奉者たちにとって、自分たちの「理論」は日常経験に基づく観察文の自然な解釈なのだから、それに反する新しい「理論」が受け入れられないのは当然である。

ファイアーアーベントは、古い「理論」に挑戦したガリレオの方も、最初から一貫性のあるパラダイムのようなものを持っていたわけではないことも指摘する。ガリレオは、『天文対話』（一六三二）で、地球を中心とする球面上を円運動する物体は摩擦がなければ永遠に運動し続けるという、確証された理論（corroborated theory）によっても実験によっても基礎づけられていない、アドホックな（その場限りの）仮説を持ち出し、話の流れでそれを誰もがすでに知っている事実と思わせるというような、ある意味、姑息な手法を用いている。観察した事実にそうしたアドホックな仮説を適用し、もっともらしく見える新たな観察文と常識を創り出し、定着させるプロパガンダ的実践を積み重ねることで、コペルニクス（一四七三〜一五四三）の天動説に依拠する（と称する）自らの理論の地歩を固めていった。

科学の神話的性格

こうした、科学の現場における政治的駆け引きに焦点を当てることで、ファイアーアーベントは、ポパーの掲げる「**批判的合理主義** critical rationalism」が誤っていることを指摘する。「批判的合理主義」とは、ある理論が合理的であるかどうかをアプリオリに決めることはできないが、既存の理論を批判し、より優れた問題解決の仕方を呈示できる理論が登場すれば、その新しい理論をより「合理的」と見なす立場である。そうした批判を通して、科学的知識は発展していくとポパーは主張する。

それに対してファイアーアーベントは、新しい理論は必ずしも古い理論を体系的に反証するような首尾一貫性を備えた形で登場してくるわけではなく、ガリレオの場合のように、些細な問題についてのプロパガンダ的な介入が発端になる可能性があると指摘した。「合理的」な要素の批判的せめぎ合いにだけ注目する批判的合理主義に対し、ファイアーアーベントの「**認識論的アナーキズム** epistemological anarchism」は、科学の基本的思考における革命が起こり、問題解決が進んでいく際に、プロパガンダ、先入観、隠蔽《いんぺい》などの「非合理的」な要因が一定の役割を果たしており、科学史からそれらを排除することはできない、というスタンスを取る。進歩を妨げないようにするには、「何でもあり anything goes」という態度を取るしかないという——恐らく、わざと誤解を招く挑発的表現を使っているのだろう。

アナーキズムに徹しようとするファイアーアーベントは、科学哲学・科学史の研究にも、人類学者のような態度が必要だと提案する。ある部族共同体の宇宙論や世界観を研究する際に、中心的な概念を見つけ、それをヨーロッパの言語に翻訳したうえで、その中心概念によって神話や儀礼の全てを説明することで、人類学者の仕事が終わるということはまずない。初期の人類学者はそうした中途半端な態度を取ったため、表層的な研究成果しか出せなかった。実際に、その概念が日常生活や儀礼でどのような役割を果たしているか、細かく観察しているうちに判明することがある。そのような場合には、文化人類学者は既成概念を捨てて、自ら彼らの言語や習慣を習得し、内側からその共同体を理解できるようになろうと努力する。

それと同じように考えれば、「時間」「空間」「量子」など同じ言葉が〝物理学者たち〟に共有されているからといって、専門の領域が自己完結的に成立していると即断することなく、それがどういう状況でどういう意味合いで使われているのか、本当に同じ意味で使われているのか、現実に物理学が行われている場面に立ち会って、観察し、記録を取るしかない。その際に、先に述べたような非合理的な要素を最初から排除していたら、現実からかけ離れた、特定の理論を正当化するうえで都合のいい、イデオロギー的な「再構成 reconstruction」にしかならない。

「科学」に本当に人類学的なアプローチをしようとすれば、科学哲学者だけでなく、自分たちの営みが合理的だと信じて疑わない科学者たちからも強く反発を受けるだろう。日常的な常識に従って物事の因果関係を説明しようとして、異なったいくつかの説明が生じて矛盾が生じるような場合、より高い次元でそれらを包摂する因果法則があることを示すことで世界の統一性を保つ働きをするという点で、**「科学」は「神話 myth」と同じような働きをする。**その共同体を維持するうえで不可欠な「聖なるもの」を脅かす危険な試みに対し、タブー反応を引き起こすことも似ている。そうした科学の神話的性格を明らかにするために、（合理主義者の目には）偶然のエピソードにしか見えないものが科学の発展においてどういう役割を果たしたかきちんと研究する、アナーキスト的な態度が必要だという。

科学的知識はいかに形成されるか――ストロング・プログラム

ファイアーアーベントは、合理主義者たちを挑発するために、アナーキズム的・文化人類学的アプローチを提唱するが、具体的にはどういう方法論でアプローチすればいいのか。科学者の実験室に出かけて観察するということが考えられるが、彼らは、いわゆる未開社会の住民と違って、自分たちを研究対象にしようとする相手の〝意図〟を深読みして、単に抵抗するだけでなく、「科学」の名において反論し、場合によってはそんなバカげた研究はやめるよう圧力をかけてくることさえある。

また、科学者たちの日常的な言語や習慣は、科学哲学・科学史の研究者にとって未知のものではなく、むしろ慣れ親しんだもののはずだが、部外者には理解できない専門用語と、どう機能するか分からない多くの機器を使って研究を進めるので、彼らの挙動を、未開社会の住民のそれと同じように、素朴に観察・記録するだけでは、何が行われているのかさえ見えてこない。素人を簡単に研究の現場に入れてくれないことも多い。さらに言えば、ハンソン、クーン、ファイアーアーベントたちの問題提起にも関わらず、科学の対象それ自体は、自然に存在する事物や法則であり、その中核部に社会的・文化的要素が入り込む余地はそれほどないのではないか、という先入観を、人文・社会学系の「科学」研究者自身が抱き続けている、ということがある。

そうした意味で、科学者はかなり扱いにくい相手だ。そのため科学社会学と呼ばれる領域では、高度に専門化した現代科学に関しては、科学的命題や方法論のような、科学的知識の中核部ではなく、科学者の社会的地位や教育制度、財政面での国家や企業への依存など、外的な部分についての研究しか行われなくなる傾向がある。当然、その傾向はどんどん強まっていく。

多くの研究者が弱腰になっているなか、英国の社会学者デヴィッド・ブルーア（一九四二～）は、『知識と社会的形象』（一九七六）で、他の知識と同様に、科学的知識もそれが権威づけられて制度化されるには、社会的要因を含む様々な要因が関与しているという前提の下で、科学的知識が形成されるプロセスを社会学的に研究すべき、と主張する。

彼はそうした強気の科学社会学を、「**ストロング・プログラム** strong programme」と呼び、その四つの信条を呈示している――①因果性（causality）：科学的な信念や知識は社会的原因を含む様々な原因によって生み出されると想定する、②公平性（impartiality）：真か偽か、合理的か非合理的か、成功か失敗かで違った扱いをすることなく、いずれの側も説明する、③対称性（symmetry）：正しい信念も間違った信念も対称的に、同じタイプの原因によって説明する、④反射性（reflexivity）：この三つを科学社会学自身にも適用する。

私たちは、実験や観察の成功で、あるいは反証による試練をいくつか通過して、正しいものと認定された命題については、それは自然界の法則それ自体に適合していたので、いずれ証明されることがあらかじめ決まっていたという目的論的な見方をしがちである。「ストロング・プログラム」は、〝結果〟から見たバイアスに陥らないよう、どの仮説が勝ち残ったかを括弧《かっこ》に入れて、様々な信念がどのように生まれ、相互に関わり合い、科学的知識になっていくか、そのプロセスを観察するわけである。

　彼は、科学者たちが社会の中で形成している物の見方の違い——広い意味での理論負荷性——によってしばしば同じ対象から異なった意味を読み取るため、そこから生まれてくる理論が異なっているという、個々の研究者に起因する問題に加えて、そうした観察を集約した形で行う研究の場、実験室で起こっていることに注意を向ける。

　先にデュエム—ハンソンに即して見たように、実験室で起こることは専門的知識がなければ理解できないが、ブルーアは、そうした専門的知識が、科学的「真理」という普遍的・客観的なものに到達することを保証しているという前提には立たない。ストロング・プログラムにとって「真理」とは、○○＋◇◇＋……のような、一連の器具と環境を備えている実験室で、▽▽であると学会的に承認されている理論から導き出される方法論に従った行われた実験で、ポジティヴな結果が出れば証明されたと見なし、それに反する結果が出れば反証されたと見なすための、一連の「規約 convention」にすぎない。

実験を構成する様々な「規約」のそれぞれが本当に自然界の真理に対応しているのか、絶対確実に確かめるのは不可能である。ある実験器具が正しく機能しているかどうかを確かめるには、いくつかの理論を引き合いに出し、また検証するための器具がないといけないが、それらによる検証の真理性を検証するのにさらに別の実験器具や理論が……と延々と続く。科学的進歩を信じる合理主義者であれば、それらの理論や器具の相互の支え合いによって、実験の正しさには、一〇〇％ではないにしても、かなり高い信頼度があるし、科学の進歩とともに信頼度はどんどん上昇していくと考えるだろうが、ストロング・プログラムはそういう前提には立たない。「規約」が増え、相互に絡み合って複雑になっていくという社会的事実として受けとめる。

彼は「規約」が出来上がり、研究室で実際に運用される過程を社会学的に分析する。一九〇三年、フランスの物理学者ブロンロ（一八四九〜一九三〇）は、新しい放射線「Ｎ線」を発見したと発表し、物理学会で話題になったが、彼の発見を疑問視したアメリカの物理学者ロバート・ウッド（一八六八〜一九五五）は、一九〇四年、ブロンロの研究室を訪問し、実験器具を点検した。ウッドは、ブロンロがＮ線の屈折を研究するために使っていたアルミニウムのプリズムを取り去ってみた。しかしスクリーン上には、取り去る前と同じシグナルが現れた。それによって、Ｎ線は実験器具の効果で生み出された仮象にすぎないと判明したのである。

これは、ブロンロたちの思い込みに起因する単純な失敗のように思えるが、ストロング・プログラムの視点から肝腎なのは、このケースが、公共的かつ非個人的に再現可能でなければならないという規約が、科学的知識の要件とされていることの例証になっている、ということだ。しかし逆に言うと、ウッドのような同じ領域の専門家が全く同じ実験設備を備えた実験室を用意するか、当該実験室を訪問して、自分の目の前で再現させない限り、完全に反証されることはないので、しばらくの間、科学的事実として通用していた可能性がある。


さらに言えば、実験室の運用の仕方でも違いが出てくる。研究室の人員がどういう役割分担でそこで扱われている対象にどう関わるか――どういう器具を使って、何時間おきに、観察結果の相互チェックをするか……――についても、研究室内部の規約によってかなり異なっているはずだ。ブルーアは、いずれも一八二〇年前後に創設され、大学での化学実験のパイオニアになると期待された、グラスゴー大学のトーマス・トンプソン（一七七三～一八五二）の実験室と、ギーセン大学のリービッヒ（一八〇三～七三）のそれを、研究成果と研究室の運営方法の相関関係という面から考察した社会学的研究に注意を向ける。

そうした社会学的見地から、私たちの外界との相互作用に基づく知覚は、教育や訓練による社会的学習や集団的相互作用に支えられており、それが実験室という特殊な環境で、先鋭化された形で現われてくることを示唆している。

「現象」は実験室で「創造」される?

実験室など、科学の研究が行われる場の環境やそこでの関係性、メンバーの行動様式が研究の在り方を規定することを哲学的・社会学的に探究した研究として、フーコーの『臨床医学の誕生』(一九六三)がある。

この著作でフーコーは、フランス革命の前後に誕生した近代の臨床医学が、古典的な書物の読解を重視していた従来の医学に対して、実際の病状を観察し、治療過程を客観的に記録し、体系的な科学になることを志向するようになった反面、患者を一人の人間としてではなく、個々の病気の「症例 cas」としてのみ――観察対象になる病気と関係なさそうな要素は度外視して――見るようになったことを指摘している。加えて、臨床研究の主な対象になったのは、当時貧困層や犯罪者、精神病患者なども収容されていた「病院 hôpital」にいる、診療費を払えない生活に困窮する患者たちだった。彼らは「治療(+生活費)」と引き換えに研究材料になることを受け入れざるを得ない、実験動物のような存在だった。こうした研究(治療)対象と研究する主体の関係は、現在まで続いている。

医学は人間自身の身体（の一部）を研究対象としており、対象に対して完全に中立的・則物的な扱いができないという点で特殊である。しかしそれだけに一層、**個人の直接的な知覚だけでは到底捉えることができないものを可視化するための一連の操作が行われている**ことを例証している。問題となる「対象」（＝「症例」）を絞り込んだうえで、研究のための施設（＝病院）や器具、専門的知識を共有あるいは分有するチーム（＝医局など）による分業などの体制を整えることによって、「病気」を研究の対象にしているわけである。

フーコーの影響を受けたカナダの科学哲学者イアン・ハッキング（一九三六〜）は、科学における対象の実在性の問題を論じた『表象することと介入すること』（一九八三：邦訳タイトル『表現と介入』）で、「対象」を捉えるための「現象 phenomenon」が研究室の中で「創造 create」されることを指摘する。レーザーのような「現象」が研究室の外で生じる可能性は極めて低い。電子のような直接観測できないものの挙動を観察する際、電子のすでに知られている性質を前提にして、それを探知できる装置を組み立て、予測される範囲の数値が出ないと、（装置自体によって生じるものも含めて）様々な「ノイズ」を取り除く作業を続ける。レーザー光線で電子を発生させる場合、レーザー光線自体が安定しないし、装置自体への反射によって一度検出された電子がもう一度戻ってくる、ということが起こりうる。ノイズを取り除くことは、レーザーの本来の形を露わにすることだと言えるのか。

だからといって、電子のような肉眼で見えないものは「実在」しないとは考えない。人間は技術によって知覚できないものを観察することを可能にし、「観察」の形態を拡張してきた。（その装置での実験によってこれから証明すべき理論を直接の前提として組み立てられたわけではない）装置を使用して、対象の存在を示す現象が確認でき、それが存在することを前提として、関連する他の現象を証明する実験の装置を組み立てることができれば、その対象は存在すると考えてよい。

科学の進歩を信じる主流派であれ、認識論的アナーキズムを標榜するファイアーアーベントであれ、言語的なものとして表象される「理論」の分析にばかり力を入れてきた従来の科学哲学に対し、ハッキングは、人間の認識・行為能力を一定の方向に拡張し、新たなモノたちと遭遇し、関わることを可能にする「実験」を重視する。

私たちは肉眼でモノを「見る see」ことを自然なことと思いがちだが、そうではない。乳児は目から様々な知覚データを得ているが、「対象」に焦点を当てて見ることを学んでいないので、「光を見る」とか「犬を見る」というような見方はしていないと思われる。大人でも、それまでもっぱら北極圏で生活していた人が、いきなり熱帯地域にやって来たら、現地の人と同じようには周囲の事物をはっきり見ることができず、混乱するだろう。土地に合った「対象」の見方を学習する必要がある。

実験装備を使って「見る」場合も、装備さえあれば、素人でもすぐに「見える」ようになるわけではなく、一定の訓練や装置の調整などを通して、「対象」が視野に現れるようにする必要がある。ハッキングは、モノを「見る」ための環境に積極的に関与（介入）する、人間の営みの特殊先鋭化された形態として、「実験」を捉えているように思われる。

ヒトとモノの相互作用

ブルーアやハッキングは、実験室という特殊な空間における装備やそこに携わる行動様式が、対象（モノ）の主体に対する作用の仕方に影響を与えることに焦点を当てたが、人間でないものにも行為主体（actor）としての地位を認める議論がある。それが、一九八〇年代前半に、パリ国立高等鉱業学校のイノヴェーション社会学センターで協同研究していたブルーノ・ラトゥール（一九四七〜）やジョン・ロー（一九四六〜）、ミシェル・カロン（一九四五〜）らによって開発された**アクター・ネットワーク理論**（actor-network theory：ANT）である。

『科学が作られているとき』（一九八七）でラトゥールは、デュエムやブルーアの議論から示唆されるように、科学の理論は様々な既存の知識を前提に成立しているが、その基礎になる知識を実験室の主宰者は自分では理解していないことが多いことを、実例に即して明らかにする。分子生物学者は、電子顕微鏡やデータ解析のためのＡＩがどのようにして機能するか、また試薬がどうして狙った効果を出せるのかよく分かっていないことが多い。自分の専門分野に属することでも、数十年前からその学会の定説になっていることについてはよく理解してないこともある。近代科学は、何世紀にもわたってデータを収集し、それを前提に理論を組み立て、それを次の段階のより進んだ研究を行うための地図として利用することを繰り返してきたので、初期の段階のデータを具体的にどうやって入手し、どう検証しているのか現時点で再現するのは難しいということがある。科学的テクストを支えるこうした〝既知の部分〟を、ラトゥールは「ブラックボックス」と言っている。どういう仕組みだか分からないが、とにかくそこに入れておけば機能する装置、という意味合いだ。

　ラトゥールは、科学技術論の研究者は、これらのブラックボックスを開けてみるべきだと主張する。そうすると、論文の主要な命題がどのように証明されているかという〝純学術的〟問題が、最新の装備を備えた研究室があって訓練されたスタッフがいないと他人の実験を再現できないといった組織的問題や、技術的にすぐに応用可能か、政府や企業から研究費を得られそうかといった経済的問題、自分の論文を権威づけるために、関係のありそうな権威ある論文を巧みに引用して注目と支持を集めるといった学会政治的問題などと複雑に絡み合っている。その状態で「ブラックボックス」に詰め込まれ、いったんボックスが閉じられると、滅多にその有効性が疑われなくなる。

そうした人間側の込み入った事情については、ストロング・プログラムなどの科学社会学によってある程度明らかになっていたが、ラトゥールは、そうした人間の営みに関与する「非人間 non-human」、具体的には実験や開発の対象となるモノ、それを作り出すインフラ、実験装備なども「行為主体」と見なす。それらは自らの意志で行動しないかもしれないが、人間の意図通りに動いてくれるわけではない。思い通りに動いてくれないから、予測不可能な動きをするからといって、それらのモノを簡単に切り捨てるわけにはいかない。

「技術」という形で、最先端の研究だけでなく、日常の中に入り込み、「ブラックボックス」を形成しているので、無理に取り除くと、私たちの生活全体が崩壊しかねないモノは少なくない。標準になっているPCの基本的OSやインターネットのインフラに、危険な動きをするものが組み込まれている可能性があると分かったからといって、その可能性があるもの全てを止めることはできない。人体に棲みつく細菌やウィルスのように、様々なモノ——ラトゥールは、人間中心の視点からの「主体／対象」の二項図式を否定するが、人間以外の行為主体のことを、〈objects〉と呼ぶ時もあり、後者の意味での〈object〉を

「モノ」と表記する——は、各種人間の組織（政府、企業、大学、学校）や制度、広い意味での実験室と絡み合って、「**テクノサイエンス**technoscience」のネットワーク形成に関与している。

『科学論の実在』（一九九九）では、自らも参加した、ブラジルの森林をめぐる地質学・植物学・地理学の学際的フィールドワークも踏まえながら、論文の形で表現される、人とモノの連鎖がどのように形成され、研究室と現場の間を循環しながら拡大しているか具体的に描写している。人とモノは単に外的に繋がるだけでなく、道具や記号、制度を生活に組み入れることで人間の在り方が変容し、人間に使われ、手を加えられ、「テクノサイエンス」に組み込まれたモノには、それまでなかった能力や特性が備わっていく。人とモノが組み合わさった、様々なタイプの集合体（collective）が生まれ、ネットワークの中で一定の役割を担う行為主体となったり、解体されてより複雑な集合体に組み込まれたりする。

そうしたモノは、人工的な部分といわゆる〝自然な〟部分にきれいに分かれているわけではない。研究が進んでいく過程で様々なモノが関与してくる。研究者によって分類・分析され、論文などの科学的命題で「○○の法則に従う△△」として言及されるものが、暫定的に真の「自然」に属するものとされる。当然、分野ごと、研究・論争の状況ごとに何が「自然」であるかが変化する。「答え」が決まった後で、それに合わせて「自然」が姿を現すのである。それとパラレルに、「テクノサイエンス」に関与する「社会 society」も実体であるわけではない。研究開発に様々な人物や組織が関わってきて、最終的に論文として成立し、学会で定説になったり、応用されて商品化されたりした、〝成功〟した研究に直接関わった部分が抽出され、事後的に「社会」からの影響として認識される。

『社会的なものを組み直す』（二〇〇五）では、「テクノサイエンス」の見地から、どのように、人とモノのネットワークとしての「社会」が構成されるか探究するＡＮＴの方法論を呈示している。類人猿の社会が、そのグループに属する個体相互の毛づくろい、接近、協力などの社交スキルだけで成り立っているのに対し、人間の「社会」は、道具や知的操作など行為主体としてのモノを媒介として成立する。**「テクノサイエンス」が、モノを取り込むことを通して、ネットワークとしての「社会」は絶えず再編される。**ラトゥールは「社会」を実体視し、「社会」が科学や技術の在り方を規定するという意味での「社会構成主義」とははっきり一線を画している。

モノとの関係から人間を問い直す

　モノと人間の複合的な連鎖によってテクノサイエンスが発展していくと見て、そのプロセスを研究するＡＮＴの考え方は、モノと人体の本格的融合によって「科学」という営み自体が変化する可能性を示唆するハラウェイやカーツワイルの議論や、動物以外の非人間にも道徳的に配慮すべきと訴える環境倫理学、人間が思っている以上に自発性があり、人間によって一方的に利用されるだけでなく、人間の在り方に深いところで影響を与える「モノ」の挙動に注目するOOOなどと、深いところで共鳴しているように見える。唯一の認識・操作主体である人間と、一方的に認識・操作の対象になるモノの境界線を自明のものと考えない、という発想において。

特にハーマンは、『ネットワークの君主』(二〇〇九)で、モノを単に操作されるだけの受け身な存在ではなく、人間と同等な行為主体を備えている存在と見るラトゥールの理論の意義を高く評価し、OOOの先駆者として位置づける一方で、彼がネットワークに現れてくる「モノ=対象 object」をあまりにも平等に扱い、犬や猫のような人間の働きかけとは関係なく実在する対象と、人間の意識が志向する限りにおいてしか存在しない漫画のキャラクターのような志向的対象を区別していないことや、対象を様々な性質が相互に関係している束として捉えているため、実在する対象の特徴が十分明確に捉えられていない点を批判している。ハーマンは、人間主導で作られたネットワークがないところでも、自律的に活動し、相互に関係を結ぶモノもあることを示唆するが、ラトゥールの枠組みでは、ネットワーク構築のイニシアティヴを取り、その気になればブラックボックスを開けて、モノ＝対象の秘密を明らかにすることができる人間の特権化された役割を保持しているようにも見える。彼は『非唯物論』（二〇一六）や『対象指向の存在論』（二〇一八）などの著作でも、ＯＯＯがＡＮＴから多くを学んだことを強調するとともに、（人間が想定する）ネットワークの「外」での対象の実在性をどう考えるかという点での両者の違いをはっきりさせようとしている。ハーマンとラトゥールの両者はOpen University PressのNew Metaphysicsのシリーズの共同編集者になっている。

「科学」が作られている現場を、主客二項対立（「分析する人間vs.分析されるモノ」）を前提にすることなく描き出そうとするラトゥールと、主体の意向に従わないモノの自発性を顕在化させようとするハーマンでは、関心の所在が違うので、ある程度ズレるのは仕方ない。この二人の接点は、**現代の科学哲学が、モノとの関係で「人間」を捉え直す方向に動いていることを**暗示しているように思える。

第八章　我々は〝自由意志の主体〟か

――「自己」決定の条件

感染症を人にうつすのは罪か

第三章で述べたように、近代市民社会では、ミルの他者危害原理が個人の「自由」と考えられてきた。シンプルだが、個人がやっていいこと／悪いことを、外的に区別するうえで便利である。近代法は、各人の性格や評判、内的動機とは関係なく、個人を形式的に平等に扱うことを基本にしているので、他者危害原理と相性がいい。他人に危害を加えな限り、どんな愚かに見える行為であっても罰しないという態度を貫くのは、個人の生き方の選択（＝幸福追求）を尊重することにもなる。

しかし、二〇二〇年以降のコロナ禍で、他者危害原理が根底から揺らいでいる。二〇二一年の日本の感染症法改正で、新型コロナウィルスに感染して、入院勧告に従わない人は、罰金を科せられることになった。これはあくまで行政罰であって、刑事罰である科料とは異なるとされているが、当事者にとってペナルティを科されることに変わりはない。人に病気をうつすことは罪なのか。それは「他者危害」と言えるのか。

これは簡単そうで難しい問題だ。改正前の感染症法にも罰則の規定はあったが、主な対象は、バイオテロのような意図的な病原体の散布や、医師による患者の秘密の暴露である。これらは他者に「危害」を与えると分かってやる行為なので、「他者危害」と見ていいであろう。しかし、かなり特殊な動機がある場合を除いて、自分から感染する人はいない。

感染したと判定を受けたら、他人に接すること自体が「危害」になると考えられないこともないが、やはりごく特殊な動機がある人を除いて、他人にわざとうつそうとはしない。ほとんどの場合、知らないうちに他人に感染させてしまう。意図せざる行為でも、「危害」と見なすべきなのか。

「危害原理」の観点から見て、コロナ対応のための強制措置は正当化されると論じている生命倫理学者は少なくない。アメリカの生命倫理学者タクンダ・マトセとエリザベス・ランフィアは論考「権利は単独では成立しない」（二〇二〇）で、他者危害原理について通常とは逆の解釈を示している。「自由が他者に危害を与える恐れがある場合、自由を削減する強い責任がある」という。「自由は、他者を可能な危険に晒すことへの許可ではなく、権利保持者は、他者への危害を生み出す自由の行使を控える責任がある」。彼らはさらに「危害原理に含意される責任は、意図しない危害（unintended harm）を減らすよう、絶えず努力することを私たちに要求する」とさえ述べている。

それに対して、ドイツの経済倫理学者ミヒャエル・アスレンダー（一九六三〜）とミリアム・フィンクは、論考「コロナと自由国家」（二〇二〇）で、ミルの立場からすれば「市民の保護のための国家的な広範な介入が禁じられる」わけではないものの、「ミルの目から見れば、危害原理を参照するだけでは、市民の自由権的基本権の大幅な削減を正当化するには不十分だろう。それが個人の経済生活の基盤を脅かすことを考えれば、なおさらである」と慎重な姿勢を見せている。そのうえで、危害回避のための手段が、その目的とバランスが取れているかを精査し、副作用を視野に入れるべきこと、および「公共圏での広範な同意 Zustimmung der breiten Öffentlichkeit」が必要であることなど、厳しい条件をつけている。

アメリカの生命倫理学者フランクリン・G・ミラー（一九四八～）は論考「パンデミックの間の自由と社会の保護：ジョン・スチュアート・ミル再訪」（二〇二一）で、他者危害原理は、自由権的基本権の制限にもその禁止にも援用されうるという中間的な立場を示したうえで、強制措置については「文脈的細部」を検討し、「関連する証拠」を示すことが常に求められると慎重姿勢を見せている。ワクチン接種に関しては、全人口に対する接種の強制は必ずしも必要ではなく、公衆衛生に関するメッセージの発信や、共同体的な取り組みがあれば十分ではないかとしている。

ミラーやアスレンダーらの見方から敷衍《ふえん》すれば、他者への危害を防止するという観点から、国家が感染症の蔓延を抑えるために、個人の行動の自由に干渉することがある程度許容されるとしても、それが本当に効果的な措置か、特定の人たちに予防・治療効果として期待される利益を遥かに上回る損害――経済的不利益や、不適切な予防措置による健康被害――を与えていないかを、細かくモニタリングし、随時修正する必要がある、ということになるだろう。当然、本当の意味での国家の非常事態における人権の効力停止のような措置は、致死率が低い感染症の対策としては許容されないだろう。

ミル自身は感染症についてどう考えていたのだろうか。ミルの主要な著作が執筆された一九世紀の五〇～六〇年代は、植民地の獲得競争という形でのグローバル化に伴う新たな感染症の流入と、大都市の特定地域への貧しい労働者の住居の密集によって、コレラなどの感染症の流行が社会問題として深刻化しており、功利主義の影響を受けたエドウィン・チャドウィック（一八〇〇～九〇）などの社会改革者が、公衆衛生の体制構築に取り組んでいた。

『自由論』では、感染症対策については論じていないが、酒に酔って他人に害を加える人に言及し、過去に酩酊《めいてい》のために他人に暴行したことがある人に対しては、酩酊自体を罰することが考えられるが、そうでない人の飲酒を制限することは自由の侵害だとしている。ここから類推すると、感染症にかかった人は自動的に自由を制限されてもよい状態になる、とはミルは言わないと思われる。

感染症に関して直接論じたミルの論稿として、「伝染病法 Contagious Diseases Acts（CDA）」（一八六四～六九）に関する証言がある。この法律は軍隊での性病の感染を防ぐため、陸軍の駐屯《ちゅうとん》地《ち》や軍港で営業する売春婦に対して警察が強制検査し、感染が判明した者は治るまで隔離することを可能にするものである。この法律の効果を検証するための王立委員会に証人として呼ばれたミルは、立法の最高の原理は「人身の自由の安全 security of personal liberty」のはずだが、この法律は、特定の階級の女性からそれを奪うことになるし、それにとどまらず、売春婦の疑いをかけられ、警察の尋問を受ける可能性のある全ての女性からそれを奪うことになると述べ、強く反対している――この問題を中心に、感染症に対するミルの見方を検討した日本語の論稿として、西迫大祐「ジョン・スチュアート・ミルと感染症予防法」(http://hdl.handle.net/10291/18561)を参照。

公衆の意見が科学に影響を与える？

通常は極めてクリアに見える他者危害原理が、感染症対策に際して様々な問題を浮上させるのは、「感染症をうつすかもしれないのに他人に接する」という行為が、他人に危害を加える可能性が高い行為として認定されるべきかが、各人の生活感覚や公衆衛生観、社会的立場、その時の状況によってかなり左右されるので、法理論的・道徳的・哲学的に位置づけるのが難しいからだ。

性感染症のように濃厚な接触によらないと感染しないものか、飛沫などで簡単に感染するものか、エボラ出血熱のように致死率が高いものか通常の風邪のようなものかで、「危害」に見える度合いは異なる。だが新型コロナウィルスの場合、医学的評価が定まっていないので、誰の説いている（学）説を信じるか、という要因が大きくなっている。

ラトゥールの用語を使って言えば、新型コロナウィルスが医学・医療・公衆衛生の新しい「行為主体」になったのはほぼ間違いないが、それに見合う研究の「ネットワーク」がまだ構築途上で、ウィルスの基本的性格の大部分がまだ「ブラックボックス」に入っていない状態にある。通常のウィルスは、関連する「ネットワーク」が安定し、「ブラックボックス」がいくつか導入され、少なくとも関連する分野の専門的な研究者の間で、どういう属性を持ち、誰にどういう影響を与える「行為主体」が確定されてから、一般の公共圏に登場する。「新型コロナウィルス」は、そうしたネットワーク形成の段階を飛び越えていきなり公共圏に現れてきたので、通常、素人に対しては閉じられているはずの「ブラックボックス」が半ば開いたまま（に見える状態）になっている。そのため、感染した人の身体が他者にとってどの程度危険なのか、一般人がいろいろ憶測し、ネットなどで意見を表明し、それが世論を激しく動かし、政府の決定に影響を与えるという例外的状況が生じているわけである。

このことは、「ブラックボックス」の蓋がきっちり閉まっている（ように見える）ことが、私たちの常識的な物の見方の基礎になっていることを示唆している。無論、科学技術の行為主体になるモノの性質が一〇〇%完全に解明されることはほぼ不可能であり、ある領域の専門家から見れば、「ブラックボックス」は完全に閉じられてはいない、ということは充分あり得る。ラトゥールによると、「ブラックボックス」には様々な科学研究の現時点までの〝成果〟として確定した「事実」と見なされているものが複雑に組み合わさって詰め込まれているので、それを開くには多大なコストがかかり、普通の科学者はそれを開くことにトライしないが、全く開けないわけではない。門外漢には無理でも、近い分野の専門家から見ると、完全なブラックボックスではないものもあるはずで、それがあるきっかけでマスコミなどを通じて話題になることもある——そうした実例については、ラトゥール+スティーヴ・ウルガー『ラボラトリー・ライフ』（一九七九、八六）の第三章を参照。

新型コロナウィルスをめぐっては、それがかなり極端な形で現れ、ウィルス研究や分子生物学、疫学どころか、自然科学一般の知識もあまり持たない公衆の意見や行動が、「新型コロナウィルス」を中心的アクターとするテクノサイエンスのネットワークの形成にかなり直接的に影響を与えているわけである。

『ザ・ガーディアン』紙に二〇二〇年六月六日付で掲載されたインタビューでラトゥールは次のように述べている。「ウィルスは、何が事実であり、何が事実でないかを決めるには多くのことを知らねばならないことを明らかにしました。公衆は統計の難しさ、実験、認識論について学びつつあります。毎日の生活において、人々は信頼の度合いと誤差の範囲について語るようになっています。それはよいことだと思います。人々に科学をある程度理解してもらおうとするのであれば、それがどのように生産されるのかを見せねばなりません」。

ラトゥールは、コロナをめぐる混乱をＡＮＴの視点からポジティヴに捉えようとしているのである。

「責任」を基礎づける

無論、混乱の原因は、新型コロナの行為主体としての性格が不確定であることだけではない。他者危害原理の適用を困難にしているもう一つの要因は、**「危害」についての私たちの理解が一様ではない**ことが露呈してしまったことである。「うつすこと」はそもそも意図的な危害なのか、意図的であるとした場合、それはどういう意味で「意図的」なのか、「意図的」でない場合、それでも、「うつした人」に責任を問うことはできるのかといった、主体の意志とそれがもたらす帰結への責任をめぐる難しい問題が提起されている。これは哲学で散々議論されてきたが、なかなか結論の出ない問題である。

「他者危害」に関連して、「意図的に行為する」ということで私たちが通常念頭に置くのは、ターゲットを決め、道具や仲間を手に入れ、相手の状況を調べたり見当をつけたりし、それを実行することにどういうリスクと利益があるか計算したうえで、泥棒に入るとか、暴行・殺人を企てるといった、刑事罰を科されるような行為だろう。突発的な行為の場合、かなり省略されるはずだが、それでも社会的に許されないことを目的にしていると自覚したうえで、自分の身体を使ってその目的を実現するための一連の行動を起こした、というのが最低限の要素だろう。

刑事罰にならない場合でも、それに準じて考えるのが普通だろう。自分のこれまでの経験からして、それをやれば、他人に迷惑が及ぶと分かっていて、わざとやったように見えれば、その人を道徳的に非難する。逆にわざとやっているように見えないのに、悪い結果が出たことをもって責められているとしたら、その人に同情するだろう。

少なくとも、その行為のスタート地点がはっきりしていて、そこに哲学用語で「自由意志 free will」と呼ばれるものが作用したこと、つまり、他人や外的環境によって否応なくそうさせられたのではなく、自分自身の決定によって始まった行為であることが、「意図した危害」であるための要件だろう。

ここで、少し感染症の問題から離れて、「自由意志」と「他者に対する（意図した）危害」

の間にどのような関係があるか一般的に考えてみよう。

私たちは、自分たちには「自由意志」で行動する能力があると何となく思っている。自分の意志でやったことのはずなのに、「私のせいではない」と言って責任を取ろうとしない人間を見ると腹が立つし、自分がそういう奴に見られないよう、ある程度気をつける。近代法では、「自由意志」で行為できない人は責任能力あるいは行為能力がないと見做され、普通の人とは違った扱いを受ける。私たちは――コロナ禍のような事態が生じない限り――それが当然だと考えている。

ただ、「自由意志」とは何か、哲学的に厳密に考えようとすると、すぐに袋小路に突き当たる。私たちの日常的な行動のほとんどは、日々の習慣や社会的慣習、生理的欲求に規定されていて、あまり選択の余地がない。「これから散歩に行こう」とふと思った、というような場合にも、実際にはその時の天候や身体の状態や生活習慣などによって〝意志決定〟の道筋がほぼ決まっていて、それにそのまま従っただけかもしれない。X1時点でY1の行動を取ったことで、X2時点でY2の行動を取ることがほぼ必然的になり、その結果、X3時点でY3を……というように、因果の連鎖がどこまでも続いているとすると、それに縛られない「自由意志」が働く余地はほぼなくなる。

「あいつを殺したい」とか「あそこの財布を盗みたい」などの欲求も、私の周辺の物体間の因果的連鎖によって、ある時点で私の内に生じてくることがほぼ決まっているとしたら、それは、動物が決まったタイミングで発情して、性交したり、植物の芽が生えたり、花が咲いたりするのと基本的に同じことかもしれない。

だとすると、そこに、「責任」に直結する「自由意志」という概念を持ち込むことに意味はあるのか、という疑問が生じる。ＡＩに権利や責任を認めるべきか、という問題提起が的外れに思えるのは、これと同じ理由からである。ＡＩがあらかじめ組み込まれたプログラムに従って正確に作動し続けるとすれば、ＡＩに「自由意志」があるかのように扱って、自分の行動に責任を負わせることに意味はあるのか。人間も、自然の仕掛けたプログラムに従って動いているだけ、ということはないのか。

認知科学、心理学、社会学、行動経済学などがもっと発達すれば、あらゆる瞬間における私たちの行動を、そうした因果連鎖によって説明できるようになるかもしれない。そうなると、〝自由意志〟という余計なものが入り込む余地はなくなり、〝私たち〟は、「自由意志の主体」などではなく、ただの――しばしば、バグが生じて、無駄な運動をする――出来の悪いプログラムということになりそうだ。その因果連鎖から逸脱している（ように見える）行為だけを、「自由意志」によるものと見なすという考え方はあり得るが、そうすると今度は、〝自由意志〟というのは、人間の神経回路に生じた偶然の逸脱（バグ）を、あたかも因果法則を超えたものであるかのように扱っているだけのことではないのかと思えてくる。

　このようにして、因果連鎖の中に「自由意志」を位置づけることにこだわると、どうしても袋小路に入ってしまう。道徳哲学では、「自由意志」の本質論には踏み込まないで、「責任 responsibility」概念を基礎づけるための方法として、「**他行為可能性** alternate possibilities」に訴えることが多い。これは、**それとは異なる行為をすることが可能であったか**、ということである。他行為可能性があるにもかかわらず、道徳的に非難すべき行為の方を選んだことに対して「責任」を問うわけだ。これを「他行為可能性の原理」という。脳内の神経細胞の動きを追うのではなく、実際に他の行為ができたかできなかったかなら、第三者的に判定できそうだし、それを「責任」の根拠にしてもよさそうに思える。

　しかし、アメリカの哲学者ハリー・フランクファート（一九二九〜）は論文「他行為可能性と道徳的責任」（一九六九）で、「他行為可能性の原理」を否定し、「他にやりようがなかったとしても、道徳的に責任があるということは充分あり得る」と示唆している。ブラックという人物が影に隠れて、薬か催眠術で、ジョーンズという別の人物の脳や神経を操縦することができ、ジョーンズに道徳的に非難されるべき行動を取るよう決断させることができたとする。ジョーンズはそれ以外にやりようはなかったことになるが、それで彼は道徳的に責任がないことになるのだろうか。

何となくそうだと思ってしまいそうだが、もし彼がブラックの操作を受けなくてもその行為をするつもりだったら、どうだろう。たまたまブラックのおかげで他行為の可能性が奪われたという事実が、彼が道徳的責任を免れる理由になるだろうか。これはやや無理のあるミステリーのような設定だが、もし可能であるとしたら、多くの人は、ブラックだけでなく、ジョーンズ自身にも――法的責任はともかく――道徳的責任はあると考えるだろう。

身体は自分だけのものか

このように、日常の一般的な行為に関しても、哲学的に掘り下げていくと、それが本当に「自由意志」によるものか、その行為を回避することは可能か、といった難問が生じてくる。しかも、「相手を殴る」とか「銃で撃つ」「泥棒のために他人の住居に侵入する」などと違って、「感染症をうつす」というのは、手足など――通常は自分の意志でコントロール可能と思われている――身体の特定の部位を動かして、積極的に実行する行為ではないし、「うつす」前に、ほとんどの場合、自分の意志ではどうにもならない、能動的な動作とさえ言えない「感染症にかかる」という出来事を通過しないといけない。

「感染症にかかってしまった」状態というのは、いわば、ブラックによって身体を半ばコントロールされている状態だ。完全に治癒するまでは、気づかないうちに他人にうつす可能性は常にある。感染していると判明する前に、他人にうつしてしまう可能性はあるし、感性していると判明して気をつけていても、たとえ入院していても、他人にうつす可能性はゼロではない。

行政に命じられた入院を受け入れるというのは、知らないうちに他人にうつしてしまう可能性を下げる行為である。入院を拒否することが、「他者危害」に当たるとすれば、その前提になるのは「感染症にかかった状態」を、本人にその意図がなくても他者に危害を加える可能性の高い危険な状態だと見なすこと、麻薬や飲酒によって、ブラックのような人物にいつのまにか暗示をかけられて何をするのか分からない状態と同じ範疇に入れるということである。

しかし、麻薬や飲酒の場合、原因を作ったのは自分である。ブラックに暗示をかけられている場合も、そういう暗示をかけられるかもしれないと分かってブラックに接近した場合と、そうでない場合では、道徳的に非難されるべきか否かの評価は全く異なるだろう。無論、その間に、どういう結果になるか薄々分かって近づくとか、自分から近づきはしないが、危ない暗示を仕掛けてきそうなブラックの接近を許すとか、ブラックは危ないと予感していたが具体的にどういうことをされるかを分かっていないまま近づくとか、グレーゾーンに入る行為がいろいろありそうだ。

このグレーゾーンに対応するかのように、近代国家における「感染症にかかる→うつす」の扱いはこれまでかなり曖昧だった。というより、どう扱うのが公正か判断しにくいので、曖昧なままにされてきたというのが実情だろう。ミルの時代には、「感染症にかかる」こと自体が行政当局から他者危害と見なされ、犯罪のように取り締まられる傾向があったが、現代に近づくにつれ、予防医学・公衆衛生が発達したこともあり、それが徐々に緩和され、各種の予防接種は努力義務となり、強制されなくなってきた。

それがコロナ禍によって、部分的に一九世紀的状況に戻ったかのような観を呈している。私たちは、他者に対して明確な意図をもって危害を加えないよう自覚するだけでなく、他人に感染症をうつさないよう、自分の身体の状態に気をつける義務を負っているのか。だとすると、他者危害原理によって引かれていると思われた公／私の境界線について再考しなければならない。「身体」は、本当に自分だけのものなのか。

他者の助けを通して自己を決定する

日本語で「自己決定権」と呼ばれている権利——英語では、日本語の「自己決定権」と

「プライバシー権」を合わせた意味で〈right of privacy〉という言葉が使われる——は、憲法十三条の幸福追求権を実現するために、他者の干渉を排除できる権利と理解することができる。幸福追求権とは、ごく素直に考えれば、他者に干渉されることなく、自分の幸福を自分で決め自分のやり方で追求する権利、ということになるだろう。

「他者危害」原理は、「他者に干渉されない」ことに焦点を当てている。アイザイア・バーリン（一九〇九～九七）は有名な講演「二つの自由概念」（一九五八）で、「自由」には様々な定義があるが、大きく分けて、なりたい自分になることができるという意味での「**積極的自由** positive liberty」と、他者から干渉されずに、自分の行動を選択できるという意味の「**消極的自由** negative liberty」の二つの系統があることを指摘する。そのうえで、後者の方が自由社会における「自由」の定義として適切であることを示唆している。

「積極的自由」も、人間が目標を持って生きるうえで重要だが、社会の目標としてこれを追求していくと、「様々な社会的制約の下で欲望を抑えながら生きている私（たち）は本当の私（たち）ではない、社会を根本的に変革し、自己を解放しなければならない」という形で、各人に自己と社会の変革へのコミットメントを強いる、ナチスやソ連型共産主義のような全体主義の思想に発展しかねない。「真の自己」探究は政治の課題とすべきではないのである。現代のリベラルな政治哲学者の多くは、社会制度を考える際には「消極的自由」を基準に考える。ロールズのように「積極的自由」の実現のために、再分配などを通しての相互支援の仕組みが必要と考える論者も、生き方の選択自体に政府や共同体が干渉してはならない、という立場を取っている。

ただ、「自分の幸福を自分で決める」というのは、それほど簡単なことではない。何が幸福なのか、分からないからである。子供に自分の進路を自分で選びなさいと言っても、子供は自分の生きる社会にどんな（就くことが可能な）職業があるのかよく分かっていないし、知っている職業についても、具体的にどんなことをやって、どう幸福になるのかが漠然としている。漠然としたままこの職業がいいと思い込んでいる子供もいるが、大半の子供は、何の情報も与えられないまま、自分でなりたい職業を選んで、どうなろうとその帰結に責任を持て、と言われたら、途方にくれるだろう。教育を通して、大よその選択肢を教え、将来の生き方についてイメージトレーニングさせることを、不当なパターナリズム（父権的干渉主義）だという人は、それほど多くはないだろう。

人間が社会の中で生きる動物である以上、単独で自分の幸福を見極めることはできない。自分単独で決めているつもりの場合でも、実際には、他者との関わりや慣習によって、自分らしい生き方を見出しているのである。自分が周囲からどう見えているのか、自分が自分の幸福だとイメージしていることが、承認されるのかを確認しながらでないと、自分のアイデンティティは定まらない。自己の「決定」を他者の干渉によることなく実行する以前に、「自己」とは何かを再確認、決定するプロセスがあり、そのプロセスにおいては、むしろ他者の助けがないと先に進むことができない。

無論、それは大人になるまでの期間に限定されることではないだろう。○○人としての私、芸術家としての私、学者としての私、ビジネスマンとしての私……といったアイデンティティにおいて、幸福な生き方を見出すには、他者との関わりによる［相互承認↕自己再認識］や、自分が属している（つもりの）文化に慣れ親しみ、そこで自分がどういう役割を演じられるか把握できていることなどが必要になる。私たちは、絶えず他者との関わりの中で自己の幸福の定義を見直している。コロナ禍のような事態において、他者との直接的な接点が少なくなると、幸福の再定義が困難になる。

自己再想像の権利

医療における「インフォームド・コンセント informed consent（ＩＣ）」には、医者がパターナリズムで勝手に治療方針を決めるのではなく、患者自身が決める権利という意味と、自分にはどういう選択肢があるのか、何が自分にとって最善かを決めるための「情報 information」を——自分に理解できる形で——提供される権利という意味がある。後者の「情報」がどういう情報であるかは、ケースごとに異なる。例えば、新しい療法や薬による治療を受けるかどうかを決める場合には、リスクについての説明が主になるだろうが、末期がんの人が緩和療法を受けるか決める場合には、余命とその間の自分の意識や身体の状態がどうなっているかといったＱＯＬ（生活の質）に関する説明が重要になるだろう。

ＩＣに際しては、患者の側が医師の勧める療法を断っても大丈夫だと保証された状況で行われることも重要である。特に入院患者の場合、病気それ自体に由来する判断力の低下や不安に加えて、身体を病院に預けているため、担当医の勧めを断りにくくなっている。断っても不利な扱いを受けないことを具体的に説明され、保証されたうえでないと、何が自分にとって最善か考え、決定することが困難になる。

このようにＩＣに即して考えると、私たちが自己決定するには、自分がどういう立場に置かれているのか、何が選択肢としてあり得るのかについての「情報」と、どれを選ぶのが自分にとって最善なのか、周囲から強いプレッシャーを受けることなく考えられる「環境」が必要だということが分かる。私たちは、大きな変化のない日常生活においては、「自己」決定のための「情報」や「環境」を何とか自分で不十分ながら調達しているが、重病になったり深刻な障碍を負ったりした場合、あるいは経済的に極度に困窮した場合、その社会の中で性的・文化的・宗教的にマイノリティである場合には、どういう方向に「自己」を変化させるのが最善なのか、自分だけでは見極められず、行き詰まることが少なくない。

　第二章で触れたアメリカのポストモダン・フェミニズムの法哲学者ドゥルシラ・コーネルは、追い詰められた立場にある人が、「自己」をイメージし直すための支援を求める権利として、**「イマジナリーな領域への権利** right to the imaginary domain」を提唱している。「イマジナリーな領域」というのは、ラカン（一九〇一～八一）の精神分析における、人間の心的な機能を構成している「象徴界 le Symbolique／現実界 le Réel／想像界 l'Imaginaire」の「想像界」にほぼ対応する。

　ごく簡単に説明すると、「象徴界」というのは、言語の形で表現される法則・規則の領域であり、これがあることによって、人間の心に秩序が与えられる。PCに譬《たと》えるとプログラムに相当するものである。「現実界」は、言語によって捉えきることができないが、その一方で、言語を中心とした心的活動を限界づけているもの、カントが「物」それ自体と呼んだものの領域である。同じくPCで譬えると、プログラムが走るためのハードウェアということになるだろう。「想像界」というのは、私たちの心の中の様々なイメージ、特に、他者との関係についてのイメージが浮かんでくる領域で、PCで譬えるとユーザー・インターフェイスの画面ということになるだろう——PCの譬えは斎藤環『生き延びるためのラカン』（バジリコ）を参考にした。

私たちは、特に幼少期に「想像界」に現われてくる親などの他者の姿を参考にし、模倣しながら「自己」のイメージを形作っていく。表情や身振りなどが親や兄弟に似てくるのは、「想像界」の作用による。トラウマになるようなショックな出来事があったり、長い間抑圧され続けたりすると、満足できない、場合によっては、苦しくて早く離脱したくてたまらないといったような、ネガティヴな自己のイメージが固定化してしまうことがある。そういう人には、他者との関わりを再構築しながら、「自己」を再想像するための環境と時間的・経済的余裕が与えられるべきだという形で、「イマジナリーな領域への権利」を提唱する。

コーネルは、「イマジナリーな領域への権利」が必要な人として、マイノリティとしてのアイデンティティが本人の中で確立している人よりも、マイノリティの中でもさらにマイノリティ的であるがゆえに、不安定な立場の人を想定している。例えば、ゲイであることを公言しているために、アメリカのアイルランド系移民によるアイルランドの伝統的な祭りへの参加を拒絶されている人や、女性性器切除を拒否したために民族的アイデンティティを維持することが困難になっている女性などである。

『イマジナリーな領域』（一九九五）、『自由のハート』（一九九八）などの著作でコーネルは、ポルノワーカー、特にラテン系の不法移民の子供としてアメリカに生まれ、周囲の女性たちがポルノ・売春関係の仕事をしていて、他の選択肢が見出せないままポルノワーカーになった女性たちに注目している。

　コーネルと同じく精神分析を自らの理論に取り込んでいる、フェミニズム法理論家のキャサリン・マッキノン（一九四六〜）は、「セクシュアル・ハラスメント」という概念を明確に定式化したことで知られるが、ポルノを違法化する運動にもコミットしている。彼女が女性人権運動活動家アンドレア・ドウォーキン（一九四六〜二〇〇五）とともに起草した反ポルノ条例案（一九八三）は、自分のパートナーがポルノを見た影響で暴力的な行為に及び、その被害を受けた女性にポルノ製造業者を訴える権利を認める、というものである。ポルノを製造すること自体を、他者危害と見るわけである。彼女たちによれば、この社会は男根中心主義に基づく男性の暴力支配を基礎に出来上がっており、ポルノを見ることがその根源的な暴力の再確認・活性化につながるという。

　ポルノの女性全体に対する危害を強調し、ポルノ業界を壊滅に追い込もうとするマッキノンに対し、コーネルはいつの間にかポルノ業界に居場所がなくなった女性の権利をどう考えるかという問題を提起する。コーネルがインタビューした有名なポルノ女優は、幼い時、自分の祖父に関係を求められ苦しかったが、その見返りに小遣いをもらったことで気持ちが楽になったことが、自分の性的アイデンティティの原型かもしれない、という主旨のことを述べている。金銭で清算することで、性行為を自分と切り離すことを覚えた、ということである。

コーネルはこういうアイデンティティ形成を経てきた人に、ポルノはあなたを含めて女性の尊厳を損なうと説教し、業界を出て〝自己決定〟するよう間接的に強制することが、本人の人格を尊重することになるのか、と問いかける。そういう時に、同じような状況にいる仲間との話し合いや、これまであまり出会ったことのないグループ、地域共同体、職業集団との出会いの機会を設け、本当はどうしたいのか考えてもらうためのサポートを受けられる権利が「イマジナリーな領域への権利」である。

無論、「イマジナリーな領域への権利」を保証され、自分の将来について考えるゆとりが与えられても、答えが出るとは限らないし、悩みが深まるだけかもしれない。なりたい自分を見出したつもりでも、現実的にそのような自分になるのは無理かもしれない。ただ、〝自己決定〟を可能な限りやり直す機会を与えられることの重要性は、社会の仕組みが複雑化し、自分がどこで〝自己決定〟したのか分からないまま、〝自分が選んだ人生〟に責任を持たざるを得ないと感じる人が増えている現代において、きちんと認識されてしかるべきではないかと思う。

コロナ禍のような異常事態が続き、公衆衛生や健康、人と人の距離の取り方、仕事の仕方など、人間の在り方を根本的に変える出来事が立て続けに起こり、病原体ウィルスとの共存まで考えざるをえなくなった、数年前には想像できなかったくらい不安定な時代に入りつつある。だからこそなおさら、人間は常に他者との関係の中で「自己」のイメージを再構築している存在だということへの自覚を促す哲学的思考が求められているのではないか。

あとがき

　前著『現代哲学の最前線』を書きあげてから、一年半以上が経過した。あと二～三カ月で「コロナ」は終わると思っていたが、何をもってコロナ収束の基準とするのか、政治―専門家―マスコミ・世論の間のせめぎ合いによって、コロコロ変化し、いつ誰が何を決めたら「終わった」ことになるのか、見通しにくくなっている。冗談抜きに、コロナウィルスを中心とした新しい生政治ネットワークが出来上がりつつあるように思えてくる。

　この間、緊急事態宣言の乱発、宣言下のオリンピック・パラリンピック、陰謀論によるアメリカ大統領選の攪乱《かくらん》と議事堂占拠騒ぎなど、信じがたい政治的出来事が相次いだ。右も左も、安保や年金・医療制度、行革、脱デフレ、インフラ整備などよりコロナ抑え込みを最優先し、何が何でも感染者数を減らすための強硬手段を提案し合っているので、いつの間にか右と左の対立軸が従来以上に曖昧になった。

　私自身の仕事のスタイルもいつの間にかかなり変化していた。当初はコロナ問題のような自然科学系の時事ネタに、哲学者とか思想家の名前でコメントするのは、売名行為が大好きな恥ずべき輩の行為だと思っていたが、ある新聞に「緊急事態宣言」の危うさについてシュミットやフーコーの視点からコメントしたあたりから、そういう方面の仕事が増えていった。書き始めると、マスコミやネットの世論で政治が右往左往しているのが気になり、苛々《いらいら》してきて、比較的自由にテーマを選んでもよい依頼原稿でも、コロナ系のテーマに触れることが多くなった。どうしてコロナ問題にはいろんな〝専門家〟がいるのか、どうして彼らは、明らかに専門外の発言を平気でできるのか、〝（医療）専門家〟に政治を任せよう、などというような世論が盛り上がるのか？

　コロナと政治や法の関係を調べていると、フーコーの生政治論で話題になるように、政治や法と、医療・健康問題がかなり深いところで連動していたこと、実際に、感染症が世界史の変わり目になったことが何度もあることなどが、改めて分かってきた。レギュラシオン学派のボワイエのように、コロナ禍を契機に、人間の生命自体に関わる産業が、これからのグローバル経済をけん引することになる、と主張する経済学者もいる。新しい世界政治のアクターとして注目されるコロナウィルスによって、ラトゥールの科学技術論の意義が広く認識されるかもしれない。

　他所の都市での研究会に参加したり、講演したりする機会は減ったが、その分、学問的関心の範囲は広がったような気がする。私は二十九歳で大学院生になって以来、いろんな人との出会いがきっかけで、様々な研究テーマに手を出してきた。演劇の制作にさえ関わった。年齢的には、もはや中堅というよりは年寄りの学者になりつつあるが、学者としてのアイデンティティはまだまだ変化していくかもしれない。

二〇二二年一月　金沢市平和町にて

仲正　昌樹

索引

仲正昌樹 なかまさ・まさき

1963年広島県生まれ。
東京大学大学院総合文化研究科
地域文化研究専攻博士課程修了(学術博士)。
現在、金沢大学法学類教授。
著書に『悪と全体主義』『現代哲学の最前線』(NHK出版新書)、
『現代思想の名著30』(ちくま新書)、
『マルクス入門講義』(作品社)、
『哲学JAM——現代社会をときほぐす』(共和国、全三巻)など多数。

NHK出版新書 667

現代哲学の論点

人新世・シンギュラリティ・非人間の倫理

2022年3月10日　第1刷発行

著者　仲正昌樹

発行者　土井成紀

発行所　NHK出版
〒150-8081 東京都渋谷区宇田川町41-1
電話 (0570) 009-321(問い合わせ) (0570) 000-321(注文)
https://www.nhk-book.co.jp (ホームページ)
振替 00110-1-49701

ブックデザイン　albireo

印刷　新藤慶昌堂・近代美術

製本　藤田製本

Printed in Japan ISBN978-4-14-088667-0 C0210

NHK出版新書好評既刊

独裁の世界史
本村凌二
なぜプラトンは「独裁」を理想の政治形態と考えたのか？ 古代ローマ史の泰斗が２５００年規模の世界史を大胆に整理し、「独裁」を切り口に語りなおす。
638

はやぶさ2 最強ミッションの真実
津田雄一
世界を驚かせる「小惑星サンプル持ち帰り」を完璧に成功させたプロジェクトの中心人物が描く、スリルと臨場感にあふれた唯一無二のドキュメント！
639

愛と性と存在のはなし
赤坂真理
私たちは自分の「性」を本当に知っているか？ 既存の用語ではすくい切れない人間存在の姿を、作家自身の生の探求を通して描き出す、魂の思索。
640

渋沢栄一 「論語と算盤」の思想入門
守屋 淳
答えのない時代を生きた渋沢の行動原理とはなんだったのか。その生涯と思想を明快に読み解き、偉業の背景に迫る。渋沢栄一入門の決定版！
641

家族と社会が壊れるとき
是枝裕和 ケン・ローチ
貧困や差別に苦しむ人々や、社会の見過ごされがちな側面を撮り続けてきた映画監督ふたりが、「不平等な世界」との向き合い方を深い洞察で示す。
642

空想居酒屋
島田雅彦
酒場放浪歴40年、料理歴35年の小説家が、理想の居酒屋を開店した？「文壇一の酒呑み&料理人」が放つ、抱腹絶倒の食エッセイ！（レシピ・カラー付）
643

NHK出版新書好評既刊

644
あの人はなぜ定年後も会社に来るのか
中島美鈴

会社という居場所を失ったとき、なぜ男性は老後の時間を有効に使えないのか？ 認知行動療法のプロが語る、不安の正体と孤独との対峙法。

645
マルクス・ガブリエル 新時代に生きる「道徳哲学」
丸山俊一＋ＮＨＫ「欲望の時代の哲学」制作班

大反響番組「コロナ時代の精神のワクチン」を書籍化！ コロナ時代にこそ可能な「自由」とは？ 対話形式で平易に説く、ガブリエルの哲学教室。

646
カラスをだます
塚原直樹

カラス語の理解者にして全国から引っ張りだこのカラス対策専門ベンチャー創業者が、カラスを調べ、追い払い、食べながら、共存の方法を探求する。

647
大河ドラマの黄金時代
春日太一

『花の生涯』から『黄金の日日』『独眼竜政宗』『太平記』まで。プロデューサー、ディレクターたちの貴重な証言を織り込み、「黄金時代」の舞台裏に迫る。

648
アドラー 性格を変える心理学
岸見一郎

世の中には「性格は生まれつき」と考えて、あきらめてしまう人が少なくない。『嫌われる勇気』の著者が、アドラー心理学を軸に、性格の常識を覆す。

649
「超」英語独学法
野口悠紀雄

リスニング練習から暗記術、ＡＩ活用法まで。専門家同士のやりとりや英文読解、会議での討論、メール作成などに役立つ超合理的勉強法！